クロールがきれいに泳げるようになる！

中央大学助教授 水泳部監督
高橋雄介

高橋書店

Takahashi's System of swimming the beautiful crawl

まず、〝コツ〟を覚える練習から始めます。

リラックスすれば、自然に浮きます。

カラダの浮いている部分が多いほど、泳ぎは楽になります。全身の力を抜いて、肺に空気をいっぱいためれば、肺が浮き袋になってカラダは必ず浮きます。どうしても下半身が沈む人は、太ももの間にブイ（浮き）をはさんで、浮く感覚をカラダに覚え込ませましょう。くわしくは、14ページからの「しっかりと浮いてみる」で解説します。

——この本を手にする人の中でいちばん多いと思われる初級者は、まずはなににポイントをおいて練習していけばよいでしょうか?

高橋　そうですね。初めのうちは泳ぎ方うんぬんではなく、〝泳げること〟を楽しんでほしいと思います。形ではなく、泳ぐためのコツをまず習得してください。自転車と同じです。初めはとっつきにくいかもしれないけれど、コツさえつかめばだれでもできるものなんです。この本を読んで、1つでも多くのコツをつかんでほしいですね。

足でリズムをつくれば、楽に進むんです。

クロールのキックは、いわゆる“バタ足”です。24ページからの「足を使って進む」では、足を上下するときのリズムと効率よく進む足の動かし方のポイントを説明します。

呼吸の目安は半分吐いて半分吸うくらいでOKです。

水泳初級者の最大の難関は、この呼吸です。34ページからの「口呼吸してみよう」では、段階を追って徐々にクロールの呼吸を覚えていきます。

今泳げない人にいくら「◯◯しなさい」と言っても、それはムリな話です。ブイ（浮き）やビート板を使ってでも、とにかくコツ—浮くコツ、進むコツ—を覚えましょう。

——大のオトナがブイやビート板などの器具を使うのは、けっこう恥ずかしいですよね。

高橋　コツをつかむまでのわずかな期間です。「器具を使ったっていい。それでコツがつかめるなら」こう説明して、僕は器具の使用をすすめています。「だまされたつもりでやってみてください、必ず泳げるようになりますから」と、初級者の方に初めに言いますが、実際にみなさん僕の言うことを実践して「へぇ」と感心されます。「あっ、こういうやり方もあるんだ」と。

こうやって1つひとつの練習に驚きや新しい発見があると、泳ぐのが本当に楽しくなります。これが水泳の練習を長続きさせるコツかもしれません。

たら、もう中級者です。

手のかきのポイントは、本当に少ないんです。

初級者のクロールでは、手のかきは「呼吸のついで」と考えて泳ぎましょう。前で両手を合わせて泳ぐキャッチアップクロールを52ページからの「落ち着いて泳ごう」で解説します。

ムリにターンする必要はありません。

初級者は、慣れるまではターンせずに、一度休憩してから泳ぎ出しましょう。これも52ページからの「落ち着いて泳ごう」で解説します。

――"初級者"とは、この本ではどのあたりのレベルでしょう?

高橋 25《メートル》を泳げない人ですね。もしくは呼吸の動作ができない人。人はだれでも泳げます。呼吸ができなくても、15《メートル》ぐらいはなんとか進めるという人がほとんどです。僕はそんな人たちに、呼吸しながら楽に泳ぐコツを知ってほしいと考えています。ひじや足のこまかい使い方などは、呼吸をしながら泳げるようになってからの話です。

――とりあえず25《メートル》を泳げるけど、自分の泳ぎに自信がない。カッコ悪いから泳がないという人も多いですね。

高橋 カッコいい美しい泳ぎとは、まず余裕があること。そう、ゆったり優雅な泳ぎ方ですね。

中級以上の方にも、僕は「もっとゆっくり、もっとゆっくり」とアドバイスします。この"ゆっくり"というのは、動作とスピードの両方を指しますが、

25mを「ラク」に泳げ

Takahashi's System of swimming the beautiful crawl

じつはゆっくり泳ぐのはたいへんむずかしいことなんです。

速く泳ぐと、悪いところが見えにくく、泳ぎのコツがつかめません。我流でいいですから、とにかくゆっくり泳いでみてください。ゆっくり泳げば、ひじが落ちていたり、水の捕らえ方が甘かったりと、改善したい点がドンドン見えてきます。そこを改善していけば、美しい泳ぎに近づくわけです。

——ゆっくり泳ごうとしても、こわくてできない人もいますが……。

高橋　ゆっくり泳ぐと悪いところが現れるのでバランスを崩します。この、水中でバランスを崩すことにこわさを感じるんですね。

このこわさを克服するには、悪いところを直して、バランスを崩さない泳ぎを身につけるしかありません。つまり、バランスを崩さずにゆっくり泳ぐ練習をすることによって、よい泳ぎが身につくんです。

個々の動作を丁寧にマスターしていきましょう。

水の抵抗を減らすポイントは8つです。

68ページからの「ストリームライン」では、水泳の基本姿勢〝ストリームライン〟をくわしく解説します。

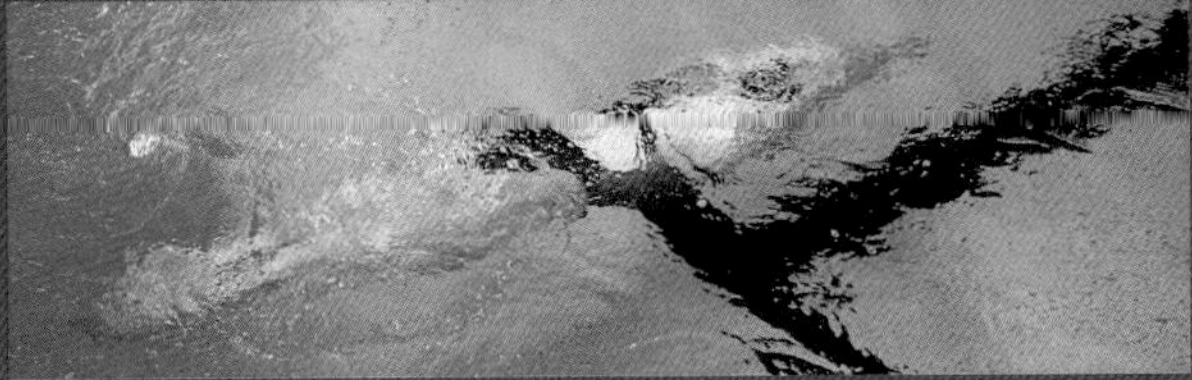

また、水は力任せに接すると、強く返してきます。手のかきもキックもやわらかく行うようにしてください。

――自分の直すべき部分を見つけてそれを直すよい方法はありますか？

高橋　この本では、クロールで泳ぐときの動作を、とにかくこまかく分けて解説しています。できるものからやってみて、「苦手だな」と感じたものを徹底的に練習してください。

「これはできるからいいか」と読み飛ばすと、大事な〝コツ〟を見逃すかもしれないので、できるだけ目をとおしてください。

――この本で理想とする〝きれいなクロール〟は、いわゆるトップスイマーの泳ぎ方と直結しますか？

高橋　するところとしないところがあります。スピードを競うための泳ぎと、

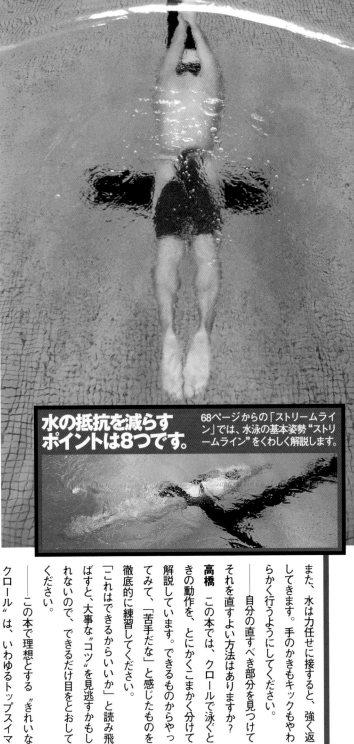

必死にかかずにカラダを前に進めるイメージです。

腕をグルグル回さない効率のよい手のかきについて、84ページでくわしく解説します。

この本でめざしているゆったり優雅なクロールでは、部分的に違うものを目標に練習している場合もあります。ただし、トップスイマーの中でもイアン・ソープの泳ぎは、まさにこの本でいう理想型です。重心の移動や水の捕らえ方など、ゆったり優雅に、美しく泳ぐコツがちりばめられていますね。

――手や足の使い方など、一流の選手の泳ぎをそのままマネをすればよいのでしょうか？

高橋　そのままマネするのはおすすめできません。部分的によいところを参考にするのはいいですね。それと、人それぞれカラダのつくりが異なりますから、みんな自分独自の理想の泳ぎがあるんです。これを探すためのヒントになると思うので、トップスイマーが出場する世界水泳やオリンピックは要チェックです。また、自分に近い体格の選手が多い、国内の大会も勉強になるでしょう。

Takahashi's System of swimming the beautiful crawl

かき終えた手は、スッと抜いて上げましょう。

「ひじを高く上げて」などとむずかしく考える必要はありません。自然な形で手を前にもどしていく方法を92ページで解説します。

——トップスイマーの泳ぎは、スピードを競うときの理想の泳ぎではあっても、私たちにとっての理想の泳ぎではないということですね。ところで、なぜクロールなのでしょう?

高橋　クロールが泳法の基本だからです。小学校の水泳の授業で、まず教わるのもクロールのキック〝バタ足〟ですし、なんといっても、いちばん速く、カッコよく泳げるのがクロールなんです。競泳の世界でも〝水の王者〟といえばクロール（自由形）の金メダリストを指します。

まずはクロールを、優雅に美しく泳げるようになってください。このクロールさえ泳げれば、どこのプールに行っても人の目を気にせずに、楽しく泳げるはずです。

——どこでも泳げるようになれば、水泳がより楽しくなりますね。最後に、泳ぐこと自体にはどんな効果やよいところがあるか教えてください。

『楽しくきれいに泳ぐ』これがテーマです。

1かきごとに抵抗の少ない姿勢を意識しましょう。

効率のよい泳ぎでついた推進力を活かして、より楽に進むための間（ま）がストレッチングタイムです。その際の姿勢のつくり方などは94ページで解説します。

すばやい息つぎが泳ぎを速く見せるんです。

トップスイマーのような呼吸法を身につければ、よりカッコよく泳ぐことができます。その方法を96ページからの「美しい呼吸」でくわしく解説します。

高橋　まず、水に入ることで味わえる解放感ですね。自然に力が抜けてリラックス状態になりますから。

解放感といえば、人には母体内で〝羊水〟に浸《つ》かって過ごした経験がありますから、水に入ると胎児の気持ちに返って、心からリラックスできるんです。とくに日本人は入浴が好きですし、水に入る感覚を好むので、その効果は大きいと思います。

また、水泳はやり方によっては、ひざや腰などへの負担が非常に少ないエクササイズです。水圧による刺激で全身の血行がよくなり、心臓にはね返ってくる負担も軽いので、高齢者にもいい。健康を考えてスポーツを続けるなら、これほど適したものはほかに考えられないですね。

このように、水泳はいいことずくめですから、泳がないなんてもったいないことです。この本でつかんだ〝コツ〟を、プールでさっそく試してください。

CONTENTS　もくじ

PART1
25mを「ラク」に泳ぐ

's system
; the beautiful crawl

PART2 クロールで美しく泳ぐ

PART3

クセや悩みを一発解消！ケース別レッスン

's System
g the beautiful crawl

PART 1

25mを「ラク」に泳ぐ

Takahashi of swimming

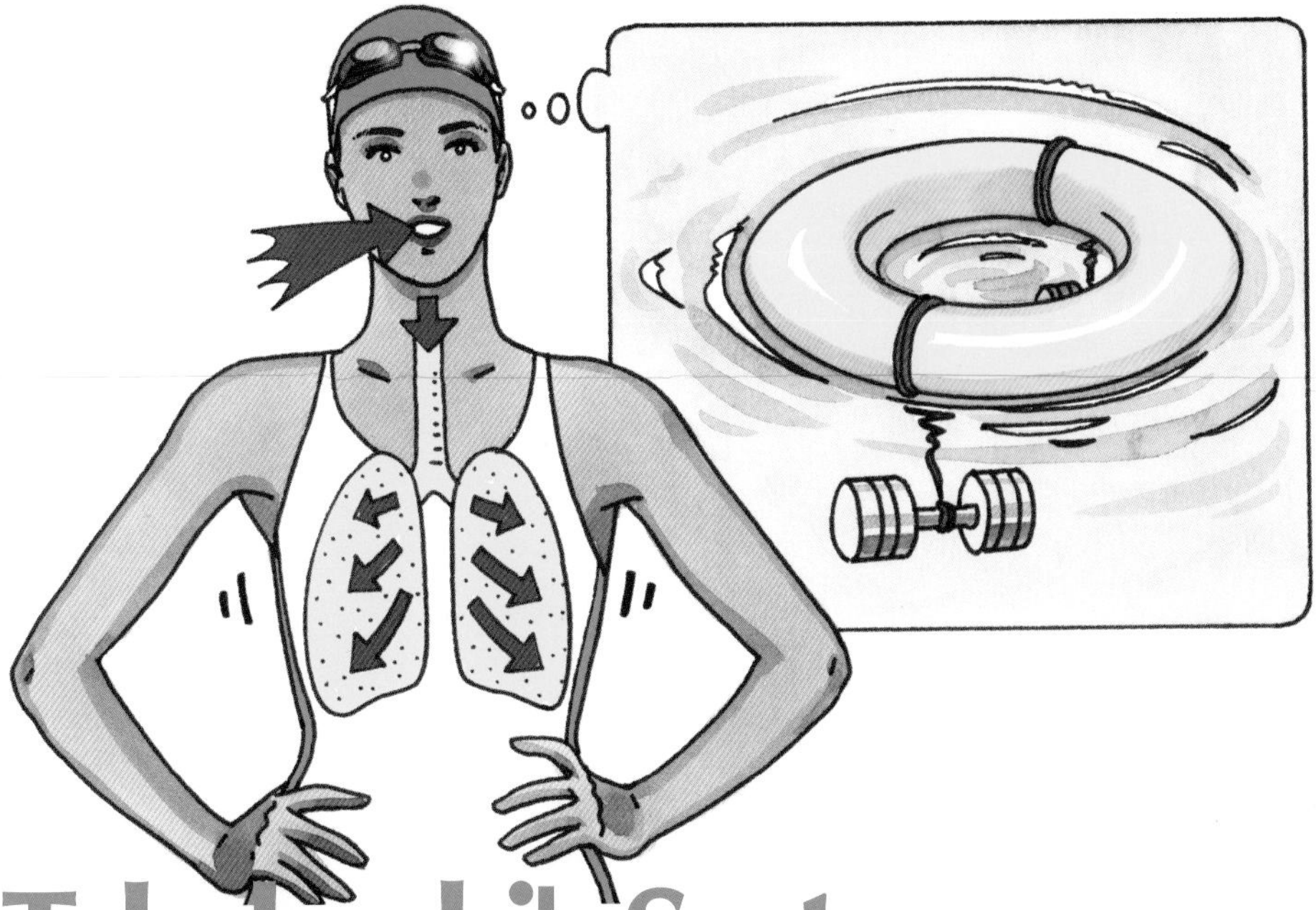

Takahashi's System of swimming the beautiful crawl

―しっかりと浮いてみる～その1―

深く息を吸い込めば、肺は浮き袋になるんです。

息を大きく吸って肺を浮き袋にしよう

楽にきれいに泳ぐにはコツがあります。それは、カラダ全体をしっかりと浮かせることです。肺いっぱいに空気をためて、できるだけ大きな浮き袋にしましょう。

肺いっぱいに空気を満たせば、筋肉質の人や脂肪の少ない人など、どんな体形の人でも必ず浮くことができます。息を深く吸い込んで、肺に空気を満たす。それだけで人は100%水に浮くんです。

カラダを上手に浮かせるコツ

息を吐ききった状態では、ふつうの人でも沈みます。というのも、人のカラダ全体の比重が水よりも大きい

反動で深く吸い込める

肺いっぱいに空気を満たせば、ちょうどよい浮き袋になる。まず、ふつうに吸ってからギリギリまで吐ききると、その反動で大きく息を吸い込める

さらに限界まで吐ききる

ふつうに吸って吐く

(重い)からです。脂肪は水より小さい(軽い)のですが、全体的にはやはり大きく(重く)なってしまいます。

ところが、肺に空気を満たせば全体の比重も水より小さくなります。つまり、水に浮きます。「肺を大きな浮き袋に」とは、そういう意味なんです。

しかし多くの人は、このせっかくの浮き袋をうまく使えていません。姿勢が悪いせいもありますし、日常生活の中ではあまり深く息をする必要がないので、肺が縮まっているんです。

そこでまずやってほしいのは、肺にたまっている空気を出すことです。すると、その反動で大きな呼吸ができるんです。吸ったら、一度止めましょう。肺の中に空気を満たせば、カラダは浮きやすくなります。

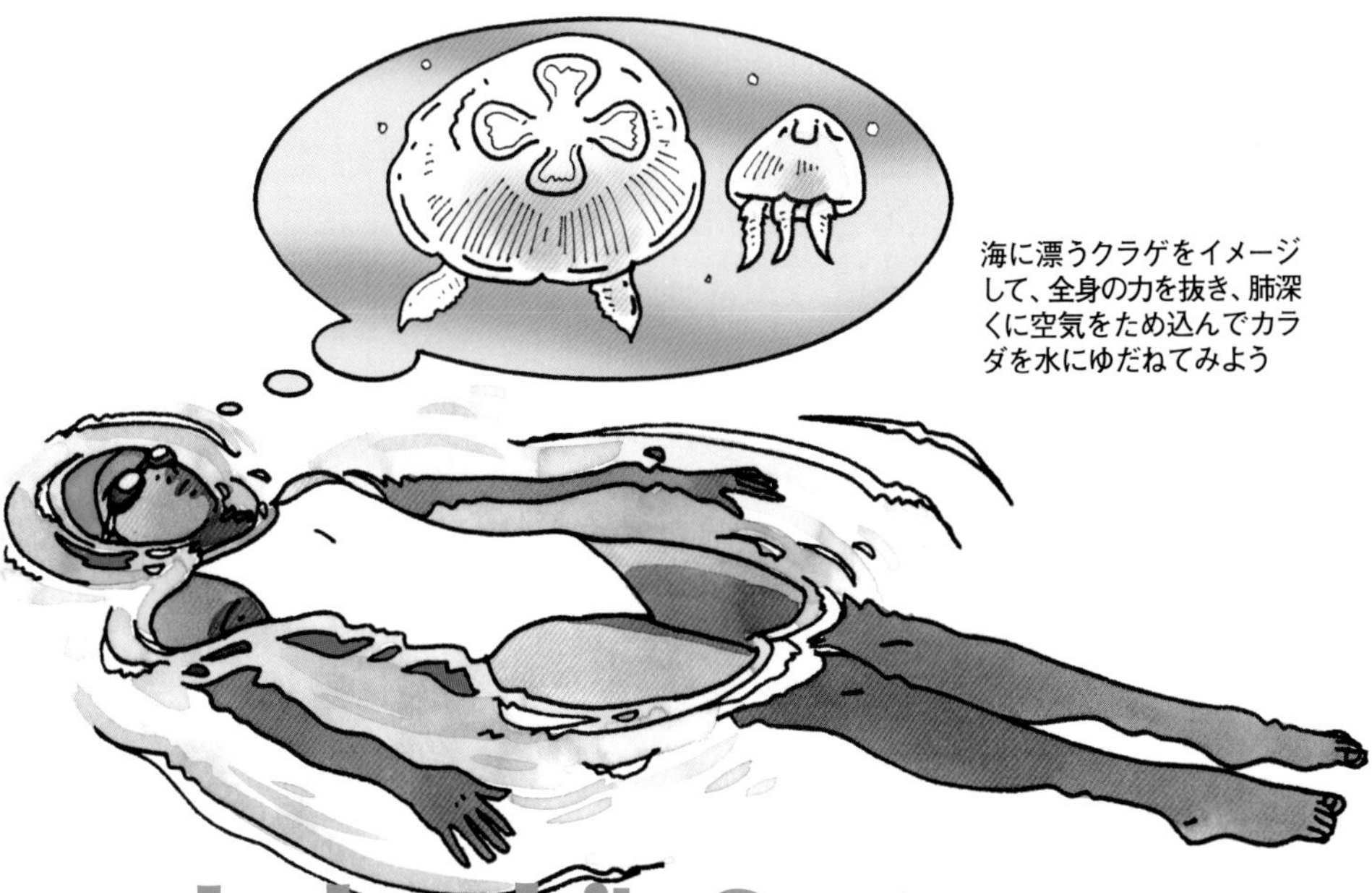

海に漂うクラゲをイメージして、全身の力を抜き、肺深くに空気をため込んでカラダを水にゆだねてみよう

Takahashi's System
of swimming the beautiful crawl

―しっかりと浮いてみる～その2―

リラックスすれば、自然に浮きます。

水の中でまでがんばる必要はない

水の中は重力から解放された世界です。「解放された世界」――そう考えると、気分がよくなりませんか。ポッカリ、フワリと浮いて、水と心から仲よくなってほしい。じつはそれが、水泳上達の秘訣《ひけつ》でもあるんです。

水の中では、がんばる必要はありません。優雅に、ゆったり、のんびりと「解放された」感覚を楽しんでください。日々の生活や仕事でのがんばりを忘れてしまいましょう。

なかには「健康なカラダづくりのためにはがんばらなくちゃ」と思っている人もいるかもしれません。そんな人もご安心ください。水には空気の835倍もの抵抗があるので、リラ

心もカラダもリラックス、これが最大のポイント

ックスして優雅に浮いたり、泳いだりするだけでも想像以上のエクササイズになるんです。

リラックスして「浮いた状態」を体感

まずはカラダの力を抜くように、「ゆっくり、ゆったり、ゆっくり」とつぶやいてみましょう。

次に、肺いっぱいに空気をためてからうしろへもたれるようにして、カラダを水にゆだねてみてください（このとき手と足は自然に開いた形で伸ばします↓イラスト・写真参照）。

このようにしても浮けない人は当然いると思います。そんなときは、一度自分の状態をチェックしてみましょう。

肩や腰、指先やつま先などに力が入っていませんか？　リラックスしようと思いすぎて緊張していませんか？

人のカラダは、緊張するとギュッと縮まって体積が小さくなり、沈みやすくなってしまいます。

夜空に浮かぶまあるい月や、海面をフワフワと漂うクラゲをイメージしながら「ホッ」と息をつき、もう一度試してみましょう。

肺いっぱいに空気をため、クラゲのように力を抜いてカラダを水にゆだねていく――。

いかがですか？　今まで感じなかった感覚ではないですか？　カラダの力を抜いて、ムリに浮こうとしなければ、とても気持ちよく浮かべます。「リラックス、リラックス」、これが、泳ぎに最適なカラダと心の状態をつくるのです。

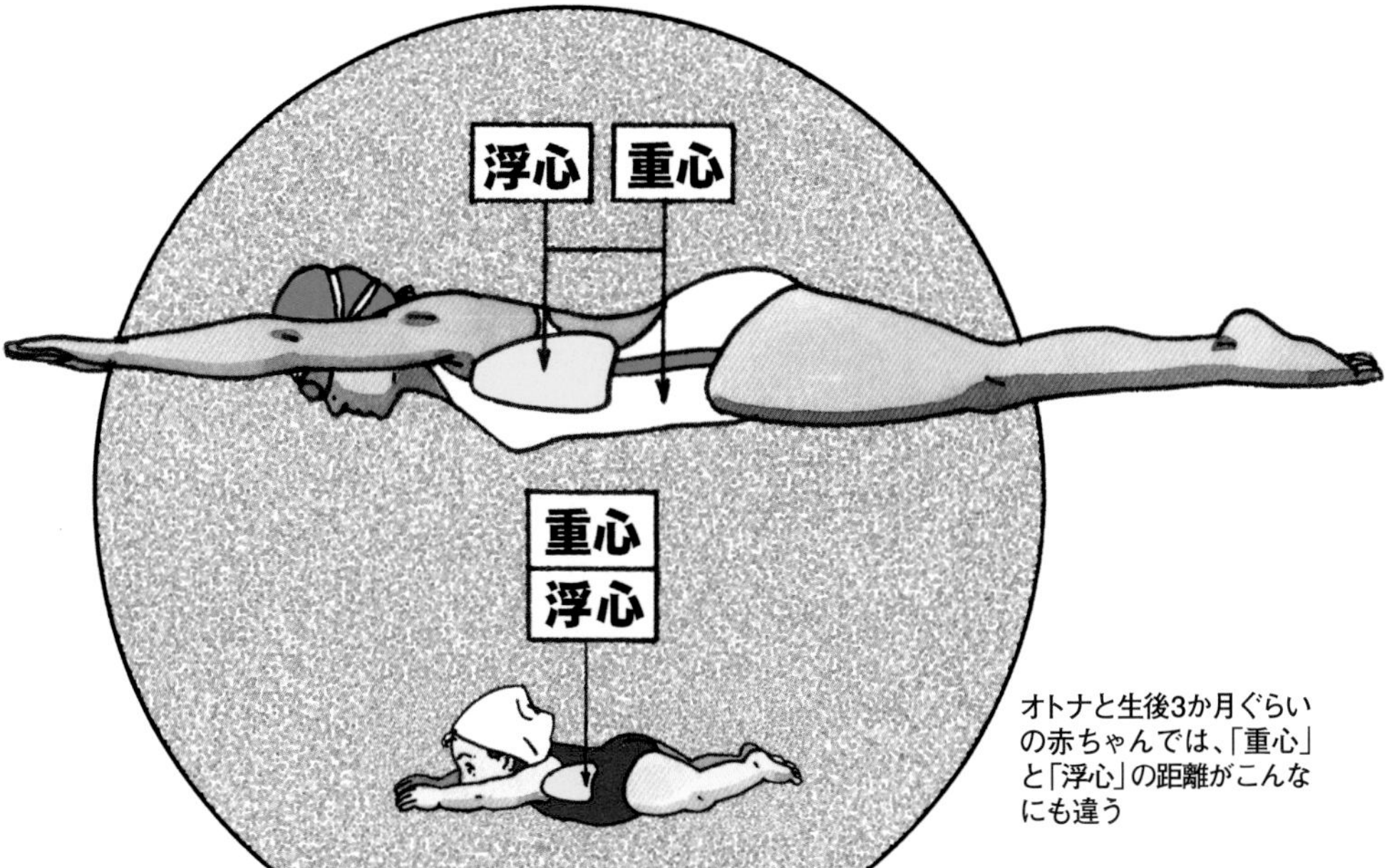

オトナと生後3か月ぐらいの赤ちゃんでは、「重心」と「浮心」の距離がこんなにも違う

Takahashi's System of swimming the beautiful crawl

—しっかりと浮いてみる〜その3—

肺(浮心)に体重を乗せるイメージをもちましょう。

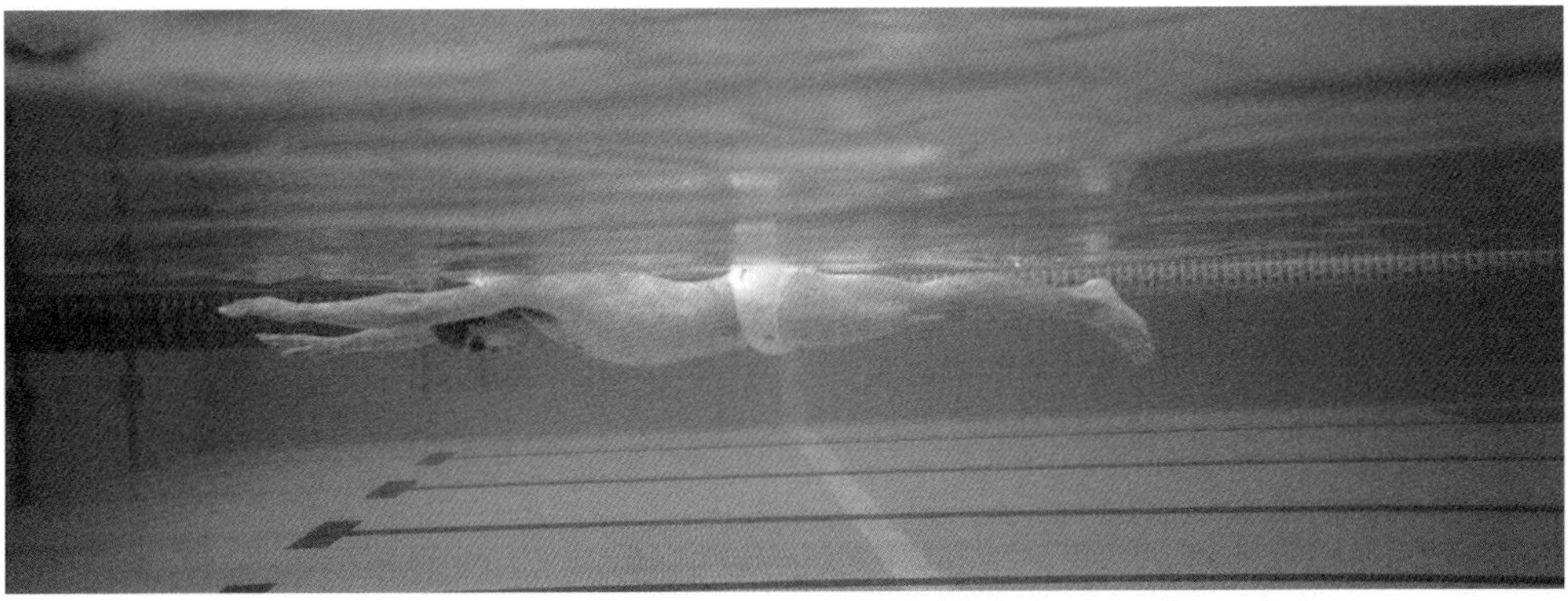

肺深くに空気をためていれば、伏し浮きの状態で長く脚を浮かせることができる

カラダの「浮心」に「重心」を近づける

カラダがうまく水に浮かないという人も、たいてい、浮き袋になる肺のある上半身は浮いて、筋肉の多い脚が沈むものです。

それに比べて、生後3か月ぐらいまでの赤ちゃんは、おもしろいくらいカンタンに浮きます。

その理由は、カラダの「重心」があるへその下と、「浮心」がある肺の位置が近いうえにカラダの割に頭が大きく、さらに脚が短かくて軽い、つまり、赤ちゃんは水に浮くのに理想的な体形だからです。

では、理想的な体形でないオトナはどうすればよいか？　答えはカンタンです。遠くなった**浮心と重心を近づけて**やればいいんです。

胸を張ったまま前のめりで全身を浮かせる

まず、お腹の近くに空気をため込むように、できるだけ深く息を吸い込みます。

次に、手足をゆったりと伸ばし、水の中で胸をそらせてやや前のめりになってみましょう。うまくいかない人は、眉間《みけん》のあたりを下げる意識をもち、足を下げないように背筋《せすじ》から太もものうしろをグッと伸ばして頭を沈めるようなイメージで浮いてみてください。これが「伏し浮き」です。

何度かトライするうちに、なんとなく下半身まで浮く感覚がつかめてくると思います。その感覚を大切にしてください。

うまく浮けると、それまでの何倍も楽に泳げるようになります。

筋肉質の男性はこうなりやすいんですよね。逆に女性は脂肪が多いぶん、しっかりと浮ける人が多いんです

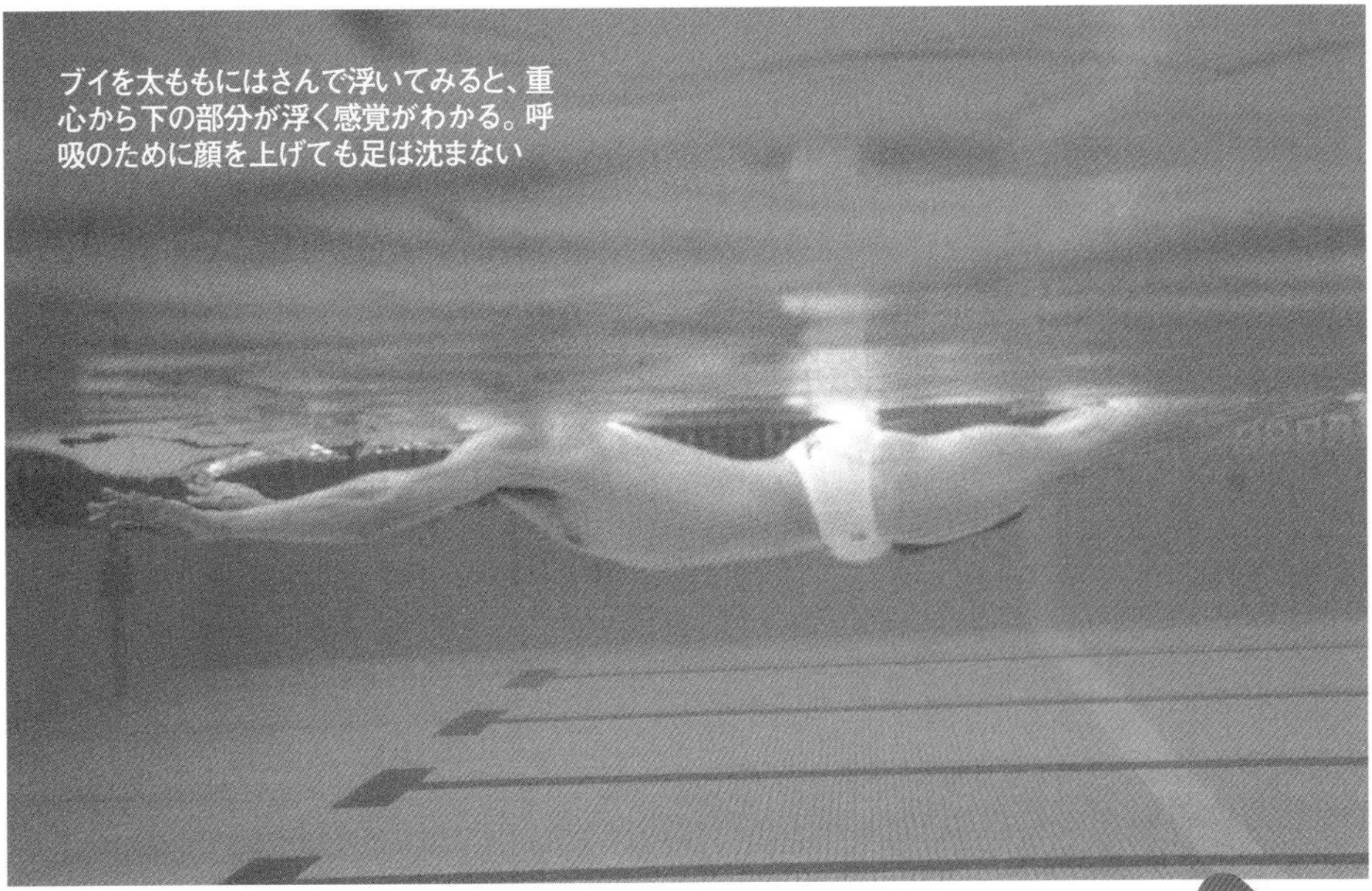

ブイを太ももにはさんで浮いてみると、重心から下の部分が浮く感覚がわかる。呼吸のために顔を上げても足は沈まない

Takahashi's System of swimming the beautiful crawl

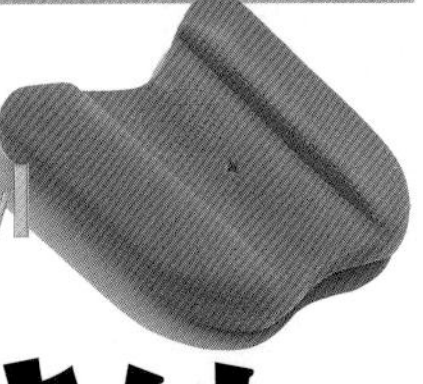

―しっかりと浮いてみる～その4―

足まで浮けないときは、「ブイ」を使いましょう。

ブイ（浮き）を使って浮く感覚をつかむ

これまで紹介した方法を実践しても、足まで浮けない人もいます。これは男性に多いのですが、体脂肪の少ない筋肉質の人は、確かに浮きにくいようです。

何度試しても浮きにくいのであれば、ミニサイズのブイ（「プルブイ」、単に「ブイ」ともいう）を太ももにはさんでみましょう。ブイがなければビート板でもOKです。ブイをつけては意味がないのでは？ と思う人がいるかもしれませんが、競泳で活躍している選手でも、練習でブイを使っている人はいるので、迷わずつけてみてください。

大切なのは、**重心のある腰（へその下）が浮く感覚**をつかむことです。

18〜19ページの方法でも足が沈む場合は、迷わずブイを使う。ブイは太もものつけ根に近いところではさむ

重心から下の部分がうまく浮かぶことをカラダに覚え込ませるのが重要なのです。

お腹近くに空気を満たすイメージで

まず、肺いっぱい空気を吸い込み、眉間《みけん》のあたりを意識しながら浮いてみます。ブイをつけると、下半身が浮きすぎて前のめりになっているように感じるかもしれませんが、じつはそれがよい姿勢なのです。

〝よい姿勢〟を体得することが重要なので、くり返し行ってください。その姿勢に慣れたら、今度はブイをはずして浮いてみましょう。

それまでできなかった人も、浮心に重心を近づけるための姿勢をごく自然にとれるようになっていると思います。

Takahashi's System of swimming the beautiful crawl

―しっかりと浮いてみる～その5―

「けのび」で進む感覚をつかみましょう。

水面をスーッと進んでみよう

これまでに紹介してきた練習で、水に浮くコツはつかめたと思いますので、今度は「けのび（蹴伸び）」について説明していきましょう。

けのびとは、文字どおり水底や壁を蹴り、全身をスッと伸ばして水面を進むことをいいます。

けのびをする目的は、カラダのバランス感覚（いかに姿勢を崩さずに進むか）、進むことによって得られる、水がカラダを押し上げてくれる感覚、水面をスーッと進むことの気持ちよさ――これらを体得することにあります。

左ページの連続写真を参考にしながら、バランスを保ったままどこまで進めるか試してみましょう。

1 壁に近い水中で腕を前に伸ばし、カラダを丸くする

2 浮いてきたら壁を両足の裏で蹴る

3 全身を伸ばして“伏し浮き”の姿勢をとる

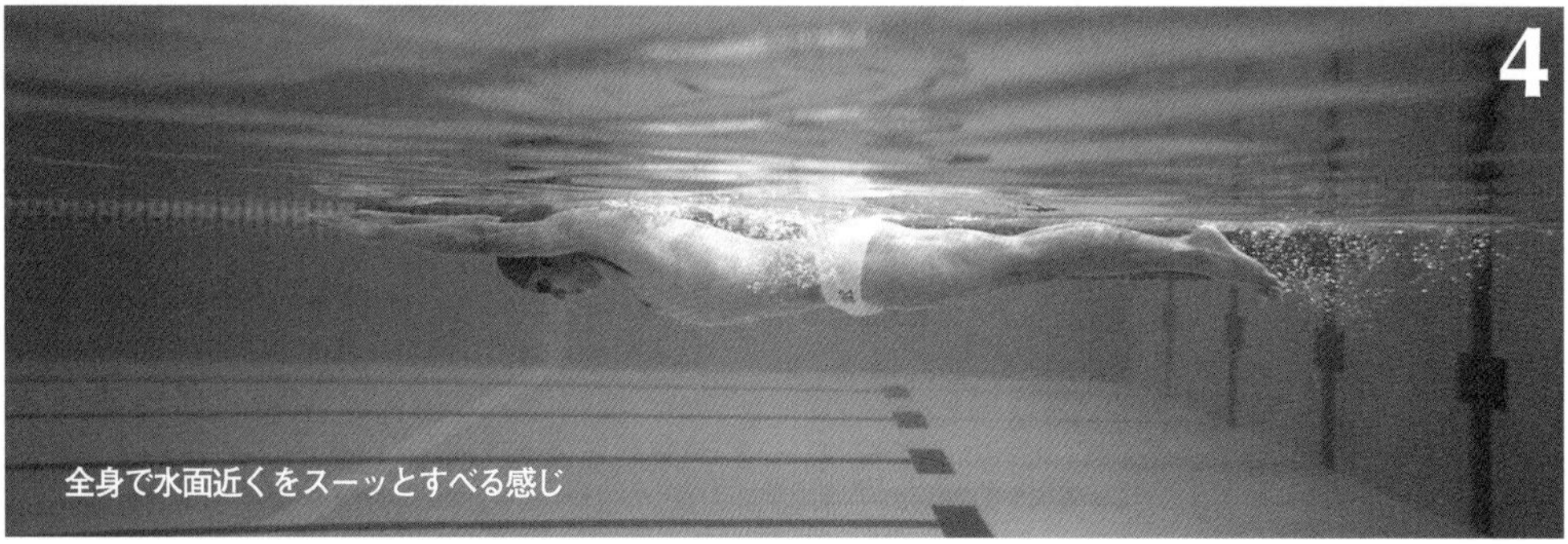

4 全身で水面近くをスーッとすべる感じ

ズーマーをつければ、キック時の水の捕らえ方や足首の使い方のコツをカンタンにつかめる

Takahashi's System
of swimming the beautiful crawl

—足を使って進む～その1—

ズーマーで、キックの感覚をカンタンにつかみましょう。

クロール上達にはやわらかいキックが必要

陸上の短距離走や長距離走では、「手が回らないと脚が回らない」といわれています。これは、走るためのリズムやバランスをとるには腕の振りが不可欠だという意味です。

クロールの場合はその逆で、「脚が回らないと手が回らない」といえます。つまり、リズムやバランスを重視したやわらかいキックを身につければ、カッコいいクロールが習得できるというわけです。

ズーマーでキックのコツを身につける

そのやわらかいキックを習得するいちばんの近道は、「ズーマー（ミニ足ひれ）」を足につけ、足そのも

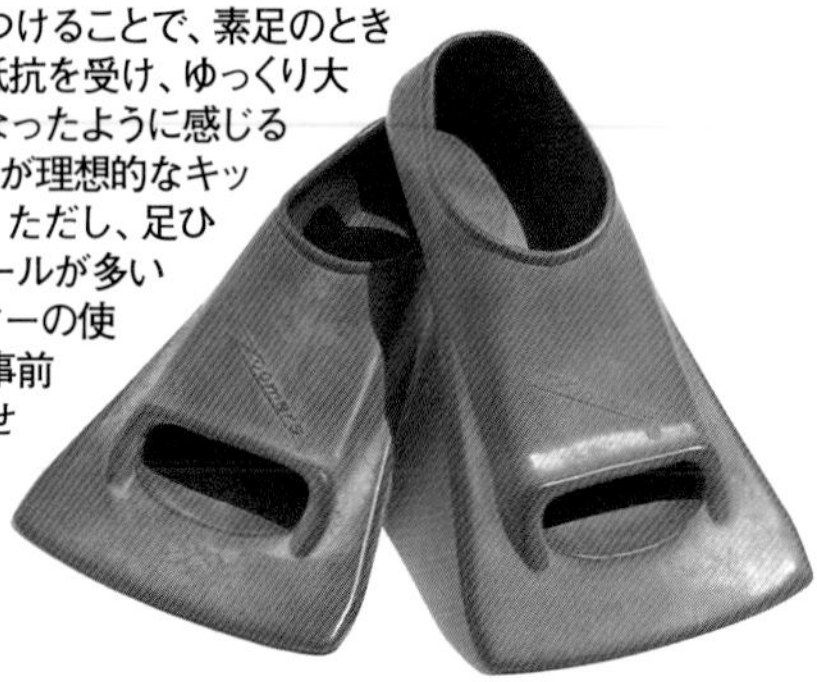

ズーマーをつけることで、素足のときよりも水の抵抗を受け、ゆっくり大きな動きになったように感じるだろう。これが理想的なキックの動きだ。ただし、足ひれ禁止のプールが多いので、ズーマーの使用について事前に問い合わせよう

のを変化させてしまうことです。

ズーマーをつけると、足の面積が横に大きく広がるため、より多く水を蹴ることができ、よく進むようになります。さらにズーマーでうまく水を捕らえたときの動きを足首が覚えるので、足全体の使い方が際だってうまくなります。

これはズーマーが受ける水の抵抗が足先まで伝わり、効率のよいキックの打ち方を自動的に学習させ、足首そのものの動きを変化させるからです。

上手なキックの感覚をつかみたいなら、迷わずズーマーをつけてみましょう。ごく軽いキックで驚くほど進める楽しさを実感できるうえに、足で水を捕らえるコツをカンタンにつかめ、キックの上達も**軽く10倍**は早くなります。

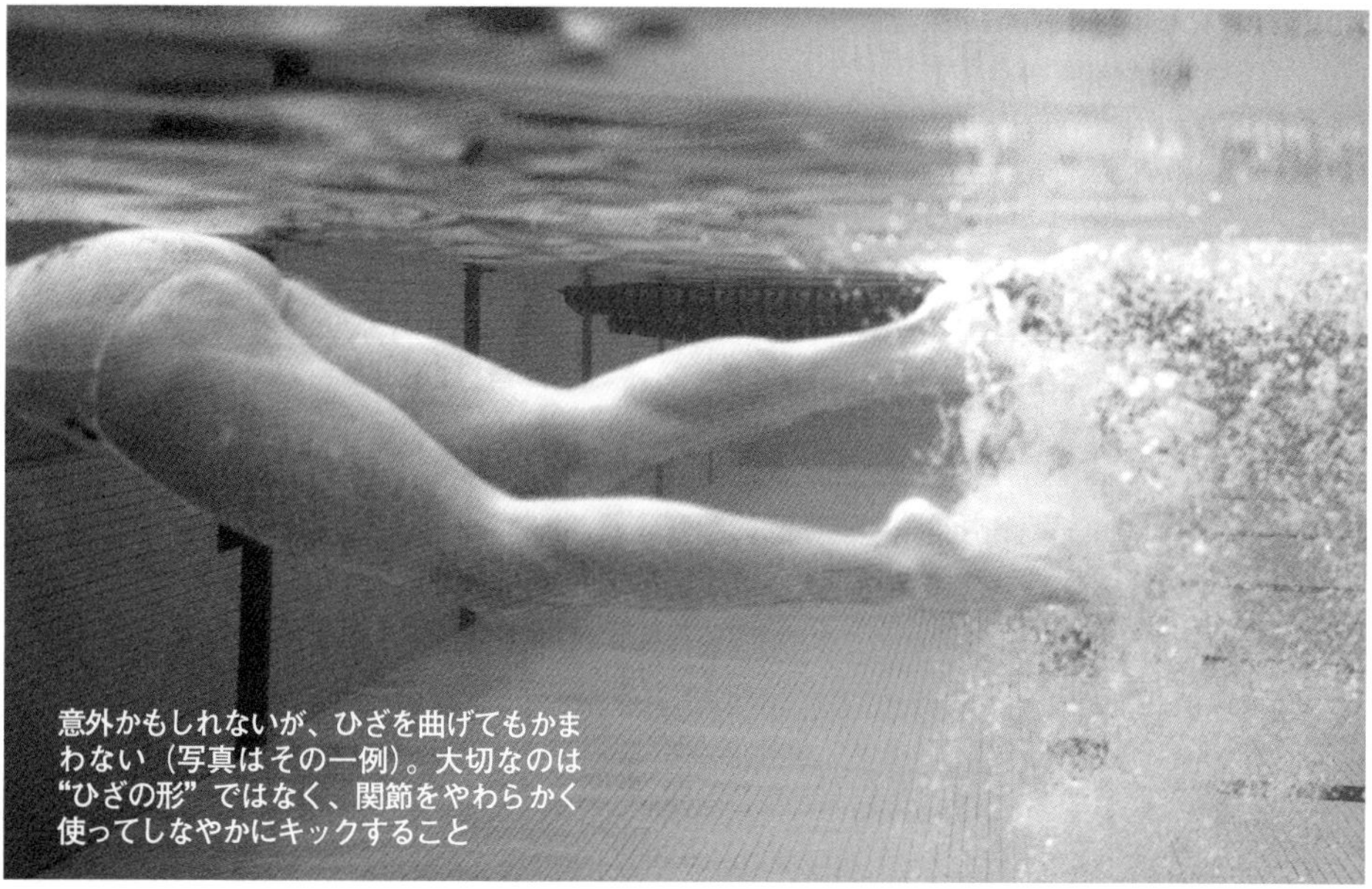

意外かもしれないが、ひざを曲げてもかまわない（写真はその一例）。大切なのは“ひざの形”ではなく、関節をやわらかく使ってしなやかにキックすること

Takahashi's System of swimming the beautiful crawl

―足を使って進む～その2―

ひざは、「曲げすぎず伸ばしすぎず」がベスト。

①ひざを伸ばしすぎの人

ひざを伸ばしすぎると、脚の動きが硬くなり、やわらかなキックが打てない。また、すぐに疲れてしまうので長く泳げない

進まないキックは疲れてしまう

「クロールのキックを打つときは、脚をまっすぐに!」と言われたことはありませんか?

また「脚をまっすぐにしなければ」と自分に暗示をかけ、ひざに力を入れて脚を棒のようにしてキックを打とうとしていませんか?

初級者によく見られるのですが、そのキックではすぐ疲れてしまいますし第一、うまく進まないでしょう。

キックで楽に進むためのコツ

キックでうまく進めない場合は、

①ひざを伸ばしすぎの人
②ひざを曲げすぎの人

の2タイプに分かれます。おもに、キックを打つとすぐに「きついなぁ」と感じる人は①のタイプの人。キックを打つと水しぶきが大きく立ってしまうのは②のタイプの人です。

じつは「脚をまっすぐに」というのは、②のタイプの人へのアドバイスであって、①のタイプの人にはあてはまりません。

①のタイプの人は、**脚の力をゆるめ、ひざも使ってキックを打つ**ようにするとうまくいきます。

逆に②のタイプの人は、**足首から先で水を打つ**ようなイメージでキックしてみましょう。そうすれば極端な曲げすぎは解消します。

ひざを伸ばしすぎても、曲げすぎても、キックの効率が悪くなって、その力がうまく水に伝わりません。

効率のよいキック、やわらかいキックを身につけましょう。

②ひざを曲げすぎの人

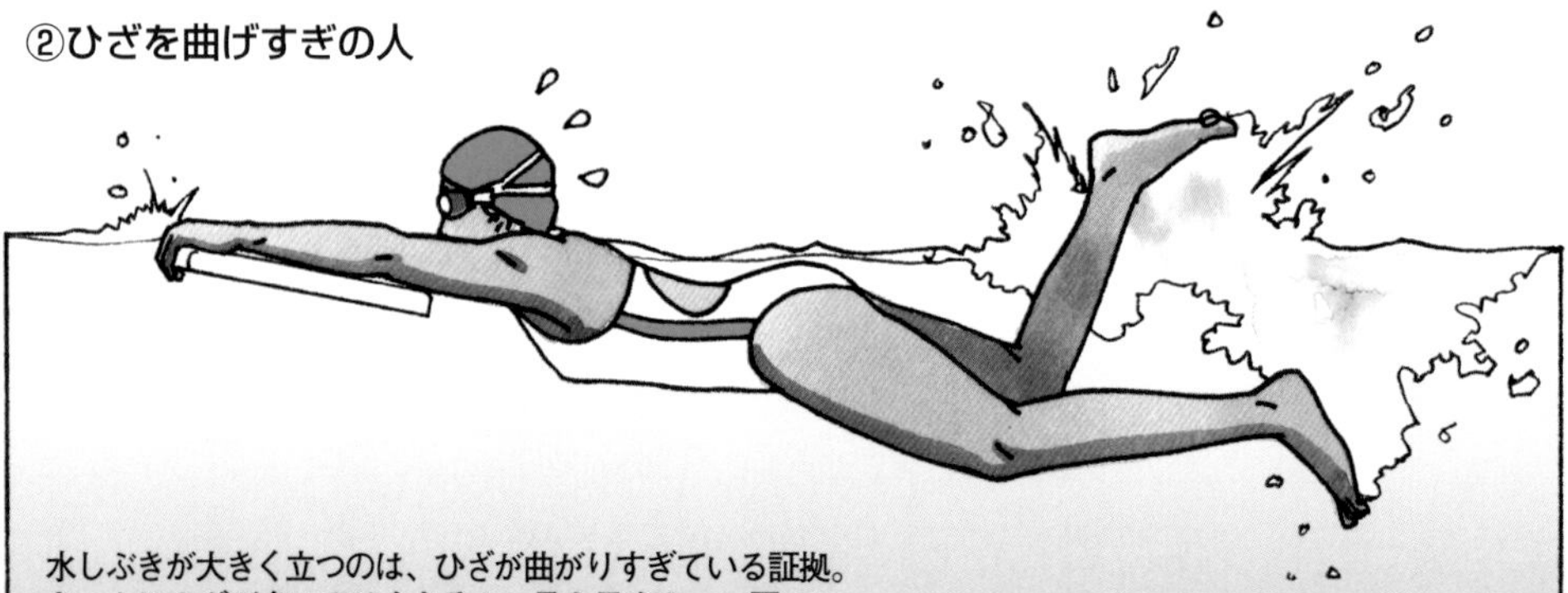

水しぶきが大きく立つのは、ひざが曲がりすぎている証拠。
キックにムダが多いのはもちろん、見た目もカッコ悪い

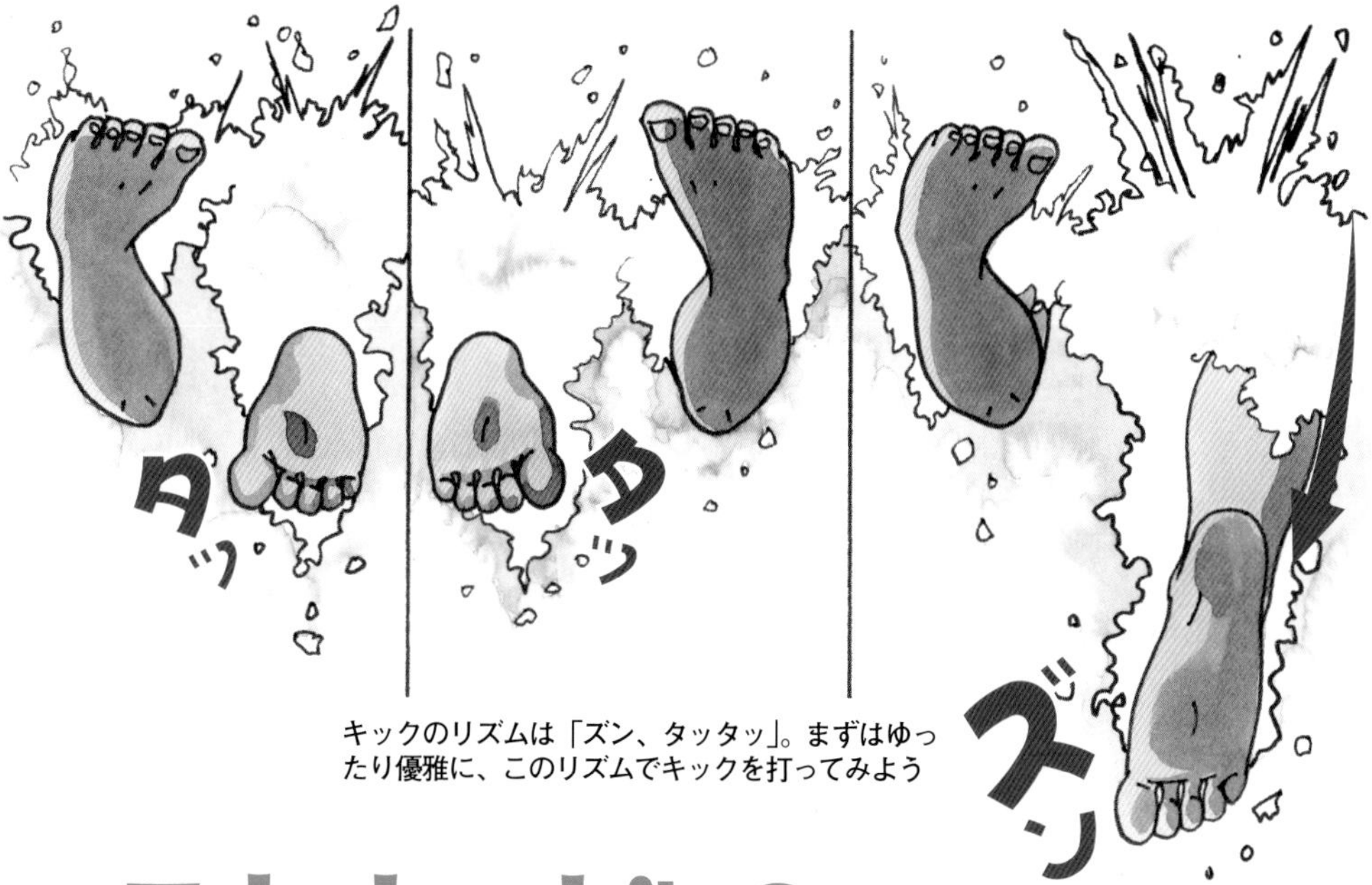

キックのリズムは「ズン、タッタッ」。まずはゆったり優雅に、このリズムでキックを打ってみよう

Takahashi's System
of swimming the beautiful crawl

—足を使って進む～その3—

足でリズムをつくれば、楽に進むんです。

キックの基本はズン、タッタッのリズム

24ページの冒頭で軽く触れましたが、クロールをカッコよく泳ぐには、リズムやバランスを重視したキックが欠かせません。

初級者で一生懸命打ちすぎている人を見かけますが、キックは

ズン、タッタッ
ズン、タッタッ

と、最初の「**ズン**」にアクセントをつけ、次の2回は「タッタッ」と軽く打てばいいんです。

水泳教室で教わる「キックのリズムは6ビート」は、まさしくこの

ズン、タッタッ
ズン、タッタッ

のリズムなのです。

ズン、ズン、ズン

ズン、タッタッのリズムで、もっともムダのない効率的なキックが打てる

と毎回強くキックを打ったほうがよく進むのでは、と思う人もいるかもしれませんが、じつは両者の推進力はさほど変わらず、疲れるだけです。つまり、

ズン、タッタッ
ズン、タッタッ

のほうがムダな力を使わずに、効率よく進めるのです。

　まずはビート板を使い、ゆったりとキックを打つ練習をしてみましょう。その際に「どっちから打てばいいの？　スピードは？」などと迷う必要はありません。歩くときと同じ感覚で、交互にキックしてください。

　実際にこのリズムで歩いてみるとイメージしやすいかもしれません。

　また、あとで説明しますが、このリズムは手のかきとの連係にもつながっていきます。

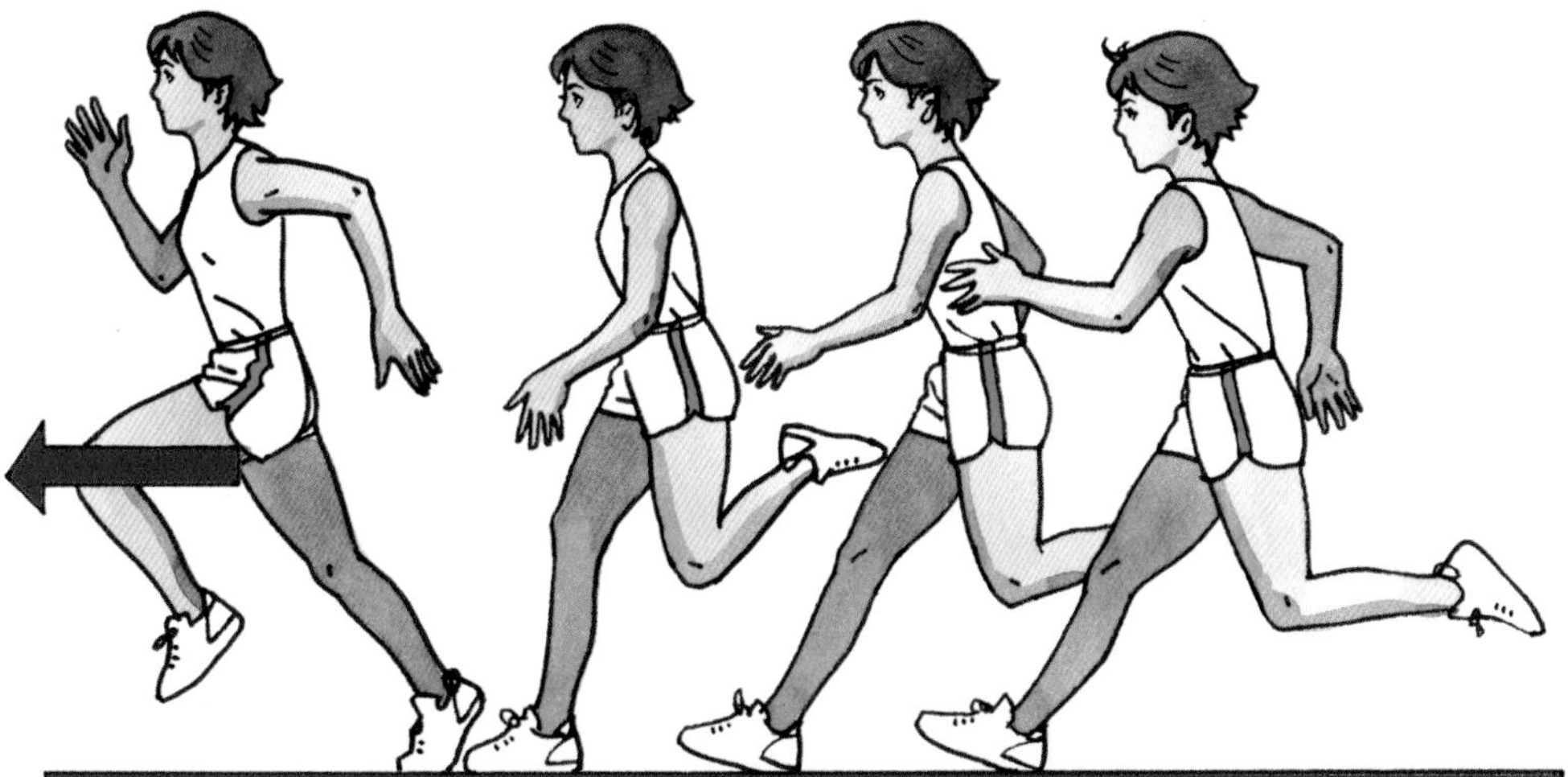

陸上競技のキックでは、地面を蹴ることよりも次に蹴る準備のため、すばやく前へもどすことに意識を向ける。これはクロールのキックでも同じ

Takahashi's System of swimming the beautiful crawl

—足を使って進む~その4—

効率よいキックのために脚の「もどし」を意識しましょう。

2

太ももを使えば、足全体がスムーズに上がる

1

左足を蹴り終えたところ。ここから押し上げていく

足全体をやわらかく使う

ズン、タッタッ　**ズン**、タッタッの「6ビートのリズム」で、ひざを曲げすぎず、伸ばしすぎないで打つキックをすれば、効率よく進めると説明しました。

ビート板やズーマーを使った練習でこのキックをマスターして、効率のよさを体感できたら、今度は「太ももの押し上げ」を意識したキックで、もっと楽に進んでみましょう。

押し上げるキックとは、太ももを上げて足全体をやわらかく使うキックです。

左足で下に蹴ったら右足全体で、右足で下に蹴ったら左足全体で、水を押し上げるようにキックしてください。

太ももを上げるキックでさらに効率よく進む

バタ足であまり進まない人は、脚の前面しか使っていない場合が多いものです。

そのような人も、太ももの押し上げについてアドバイスすると、グングン前に進むようになります。

たとえば陸上競技では、走りのスピードを増すために、うしろへの蹴りだけでなく、次の蹴りのために前への引きもどしをすばやくするとよいといわれますが、水泳のキックにもそれがあてはまるのです。

ズン、タッタッのリズムとひざの使い方に加えて、太ももの押し上げを意識すれば、さらに効率よく進めるようになります。

太ももを上げきったところ

再びひざをやわらかく使ってキックする

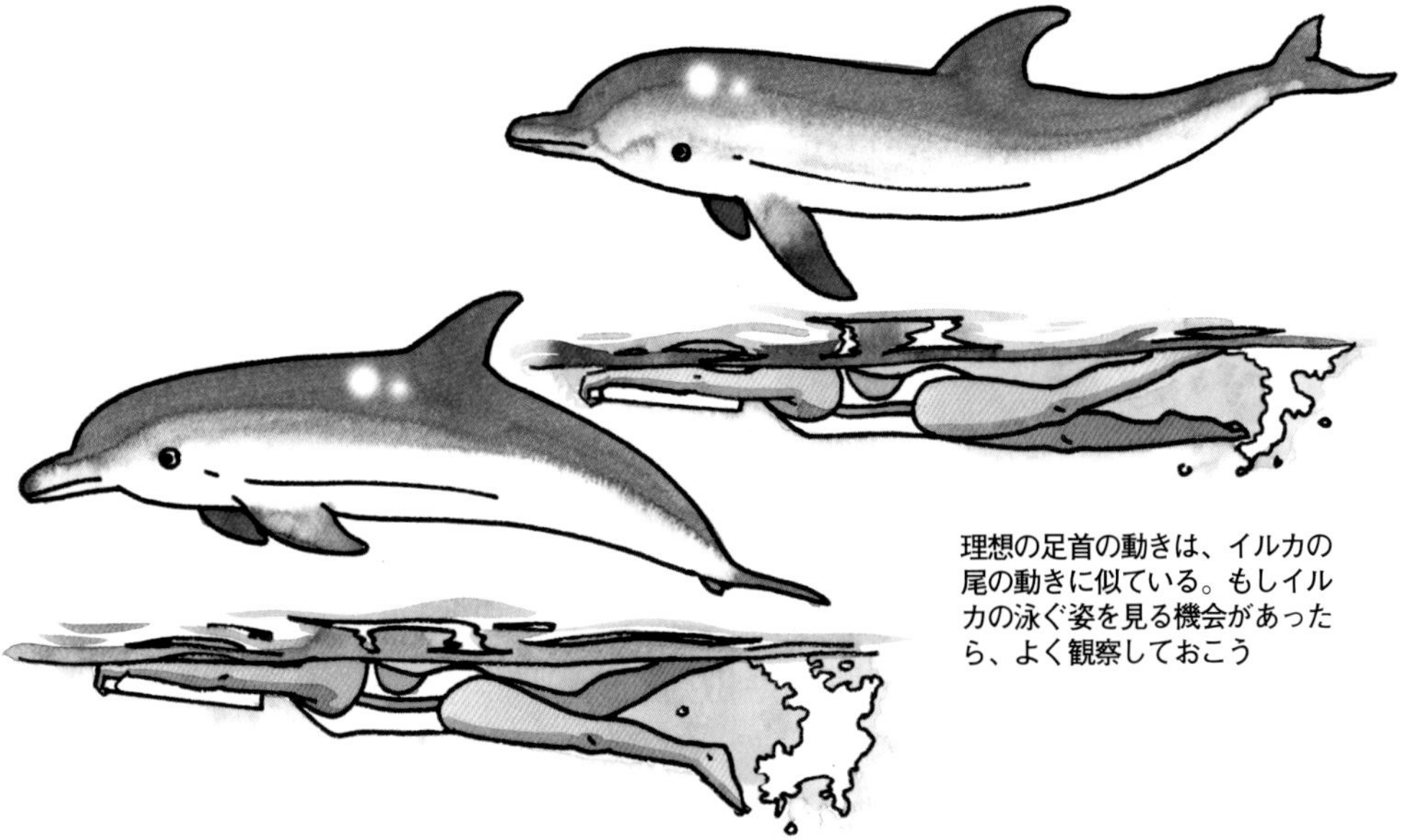

理想の足首の動きは、イルカの尾の動きに似ている。もしイルカの泳ぐ姿を見る機会があったら、よく観察しておこう

Takahashi's System of swimming the beautiful crawl

―足を使って進む～その5―

足首の力を抜いてイルカの尾のように使いましょう。

足首のスナップを利かせる

キックを打つときは、足首の力をほどよく抜きましょう。

クロールのキックは「ムチをしならせるように」とよくいいますが、それは足全体をしならせて、最後につま先で「ピッ」と水を蹴るような動作のことです。

歩くときに、うしろ足が離れる直前だけ足首のスナップを利かせて蹴ると、グンと前に進みますが、クロールのキックでもそれと同じようなことがいえるんです。

イルカの尾の動きをイメージする

足首はあくまでもやわらかく優雅に、それでいて最後はピシッと……

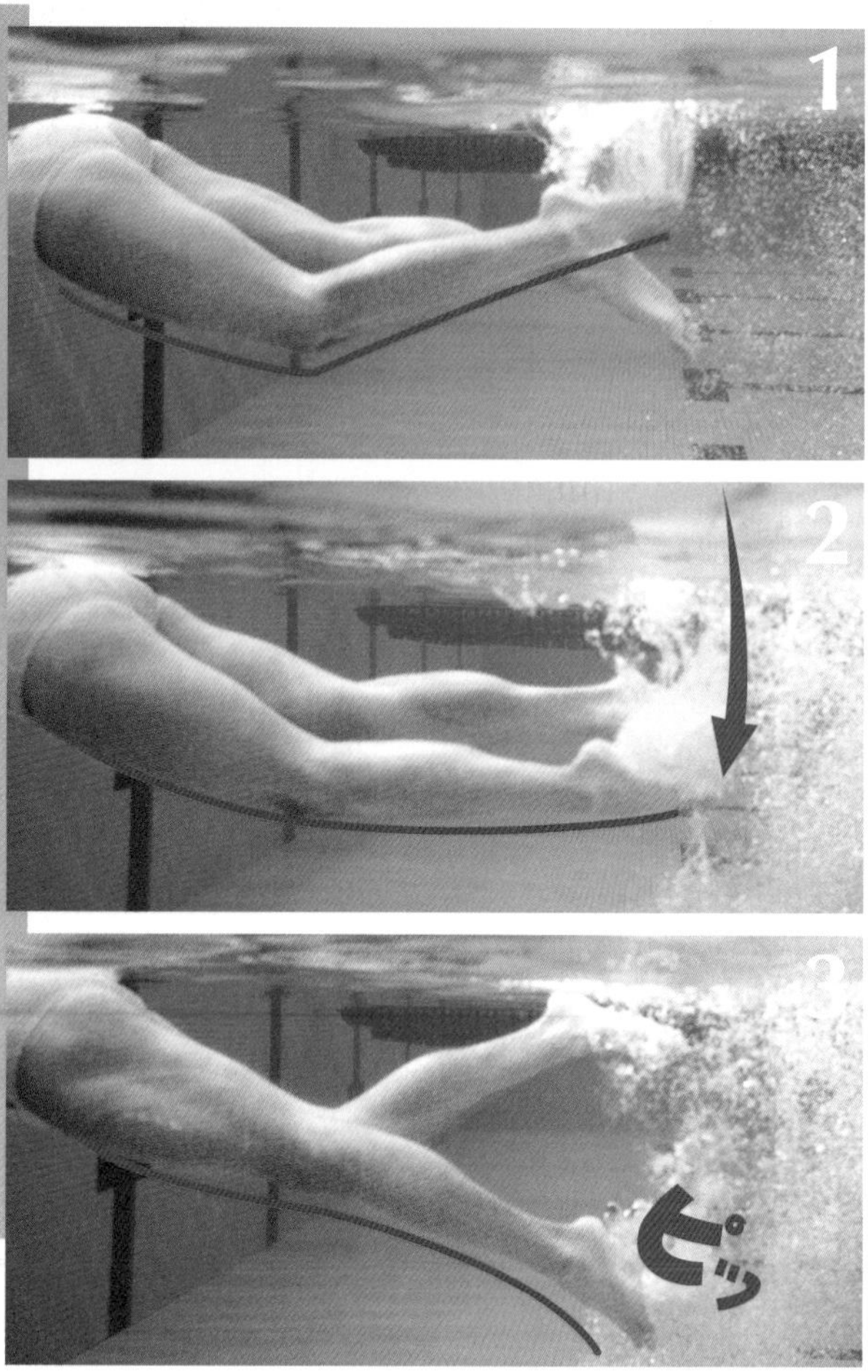

「ムチのように」と説明することが多いが、イルカの尾の動きそのままをイメージするのがいちばんよい

「イルカの尾のイメージ」というと、わかりやすいかもしれません。

　イルカの尾の動きは確かにやわらかいのですが、それだけではなく、動きにメリハリがあります。優雅でゆったりとして見える半面、毅然《きぜん》とした動きもあって美しいものです。

　僕も現役時代には、水族館に通ってイルカや魚の尾ばかりを見ていたことがありました。イルカや魚の泳ぎというのは、たいへん水泳の参考になるものなんです。

　どうしても足首が硬くてうまく動かないという人もいると思いますが、安心してください。足首をやわらかくするストレッチ（148ページ以降参照）もありますし、ひざから下をイルカのようにしならせて動かすことでも足首の硬さは十分カバーできます。

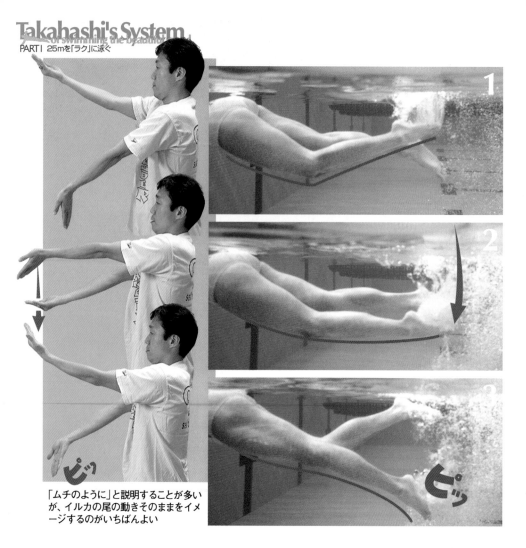

Takahashi's System
of swimming the beautiful crawl

—口呼吸してみよう～その1—

まず口から息を吐く、が「口呼吸」の基本なんです。

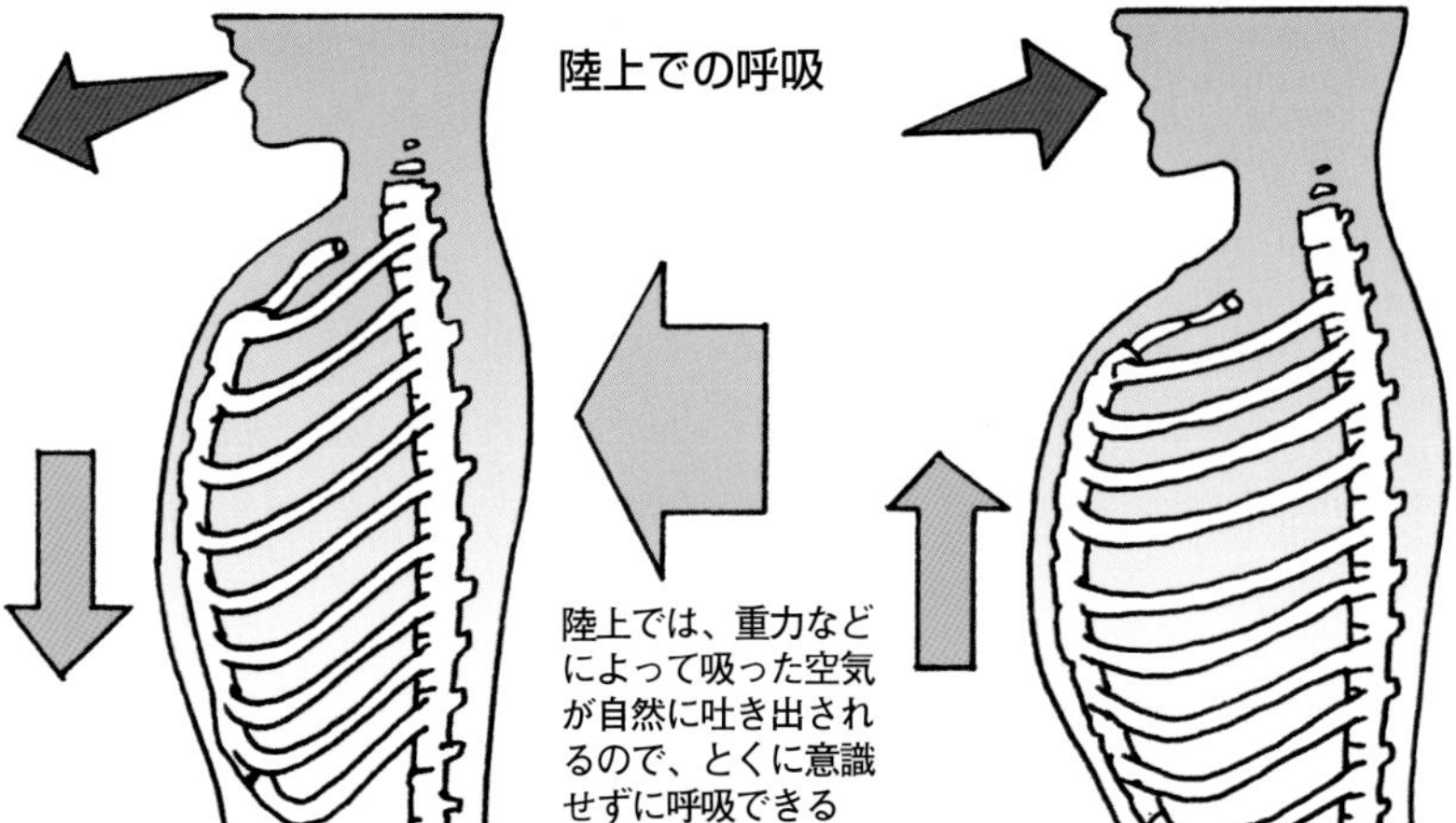

陸上では、重力などによって吸った空気が自然に吐き出されるので、とくに意識せずに呼吸できる

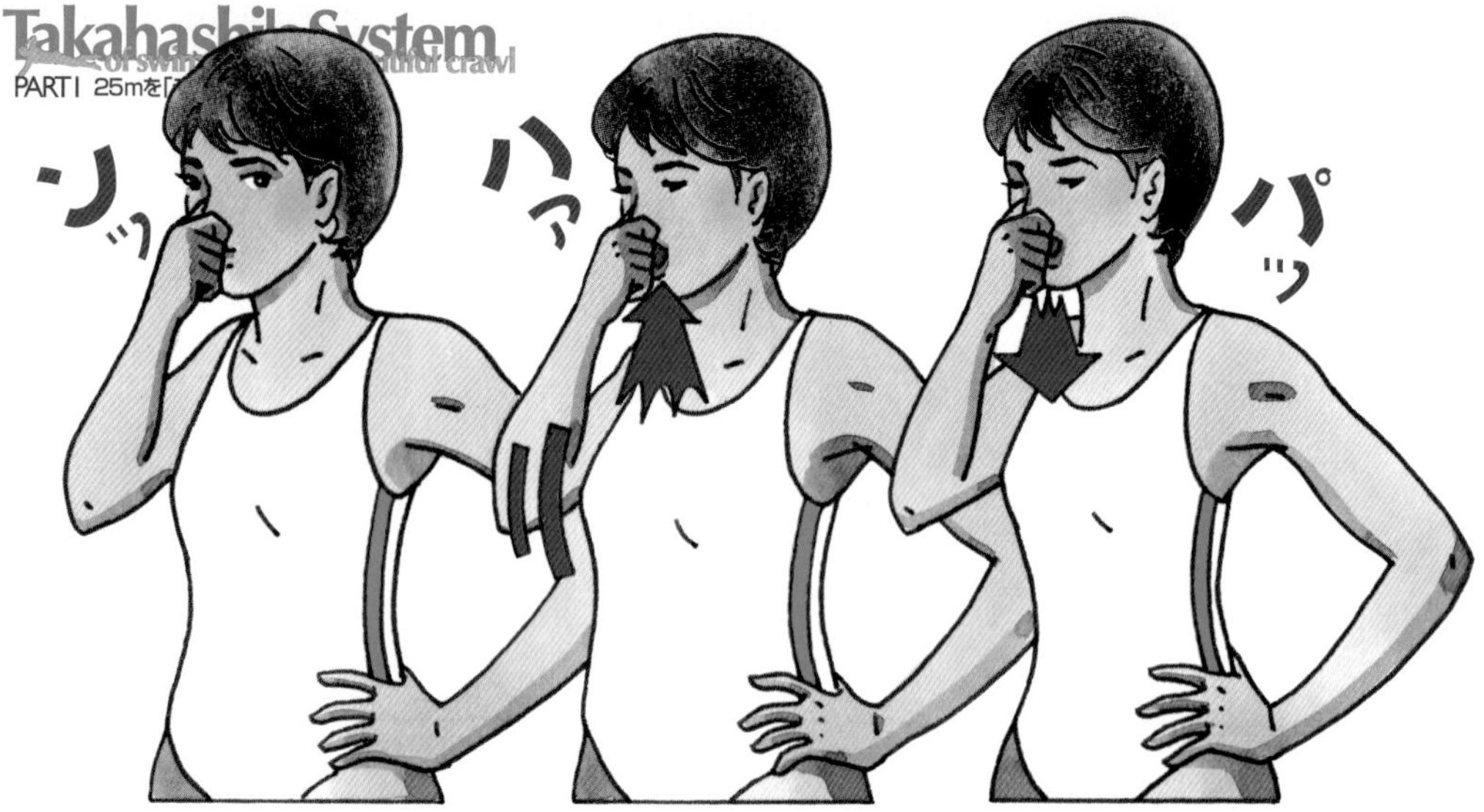

鼻をつまんで、口だけで呼吸してみよう

人はふだん 鼻で呼吸している

人は、ふだんの生活では鼻で呼吸しています。この本を読んでいる今も、特別に意識していないのに鼻で吸って鼻で吐いていると思います。

人間のろっ骨は、陸上では重力によってたたまれ、それによって肺が小さくなるので、意識しなくても息が吐き出されます。

ところが水中では、重力の影響が少なくなるために、意識して吐かないと空気は肺から出ていきません。だから、水泳では「吐かないと吸えない」ことになるんです。

初心者でも 口呼吸はカンタン

よく「水中では鼻から吐いて、顔を上げて吸う」といいますが、初級者にはなかなかできません。初級者がトライするとカラダが沈み、水を飲んでしまいがちです。

ですからここでは、まず口だけで呼吸する**〝口呼吸〟**をマスターしましょう。だいじょうぶです。ぜんぜんむずかしくないので、安心してください。

口を大きく開けて「パッ」と空気を吐いたら、そのまま「ハァ」と吸い込み、「ンッ」と口を閉じて息を止めます。

止めるときには、必ず口を閉じるようにしてください。うまくできない人は、鼻をつまんでやってみてもよいでしょう。

陸上で口呼吸の練習をしておけば、水の中に入ったときに息つぎがカンタンにできるようになります。

ここでは、吐く、吸う、止めるの動作を大げさなくらい極端にやってみよう

Takahashi's System of swimming the beautiful crawl

—口呼吸してみよう～その2—

水中での意識は「肺の空気を出さない」です。

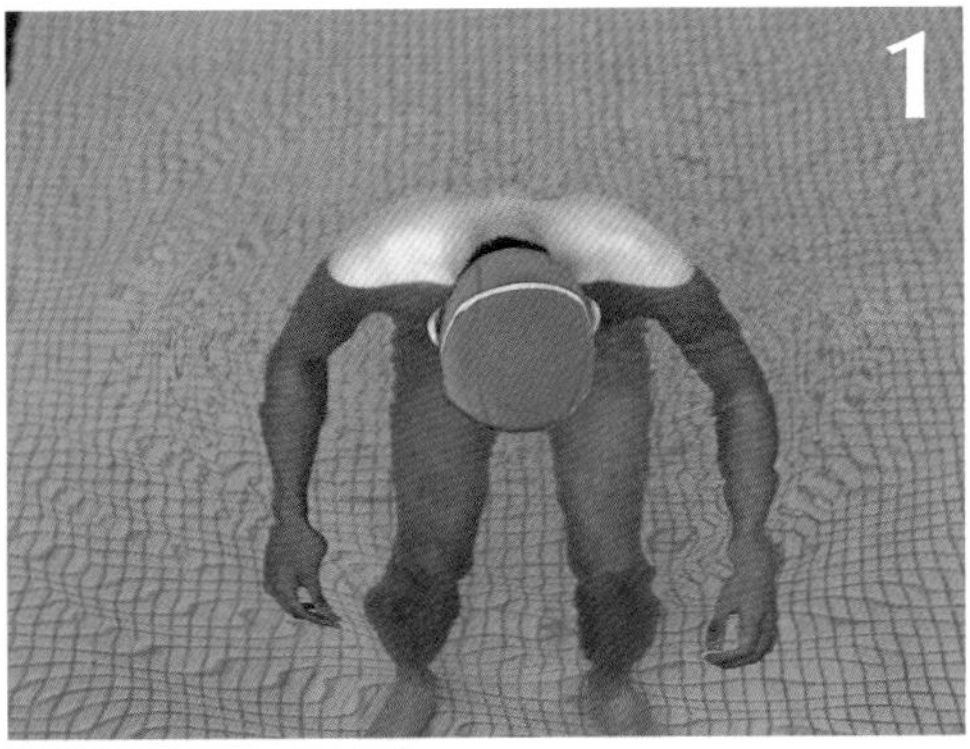

1

水に顔をつける。このとき息は吐かないようにする

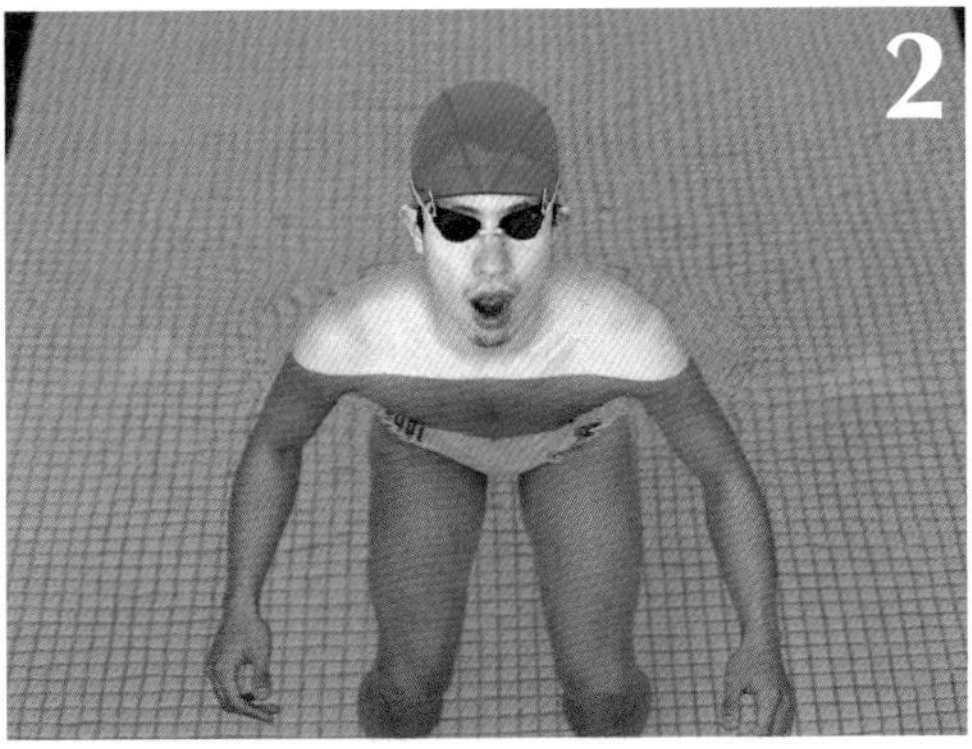

2

顔を上げて息を吐く

顔を上げて「吐く、吸う」水中で「止める」

よく「水の中で息を吐き、顔を上げたら吸うようにしましょう」といわれますが、これだと初級者はカラダが沈んでしまいます。

泳ぎにある程度のスピードがついてくれば、水が自然にカラダを押し上げてくれるものですが、スピードの遅い初級者は、息を吐いて浮き袋の役目を果たしている肺の中の空気が少なくなれば、当然カラダは沈んでしまうのです。

その状態で顔を上げて息を吸おうとすると、水をかぶって飲んでしまうことになります。また、水上に出た一瞬で呼吸できればよいのですが、その練習をしていない初級者には、それもむずかしいことです。

ですからこの段階では、顔を水につけている間は息を止めるようにしましょう。それが、楽に呼吸するためのコツです。

止めるといっても、ほんの2～3秒程度ですから、苦しくなることはありません。

水上に顔を上げて**「吐く、吸う」**、**水中で「止める」**。まずはこれを繰り返しましょう。もちろん口だけで呼吸します。

水に顔をつけての口呼吸もどこでも練習できる

この練習は、洗面器を使っても、湯舟の中でもできます。

水に顔をつけたときに、鼻から空気が多少出てしまうのは、かまいません。ただし、**意識的には息を吐かない**ようにしましょう。

息を吐いた反動で、大きく息を吸う

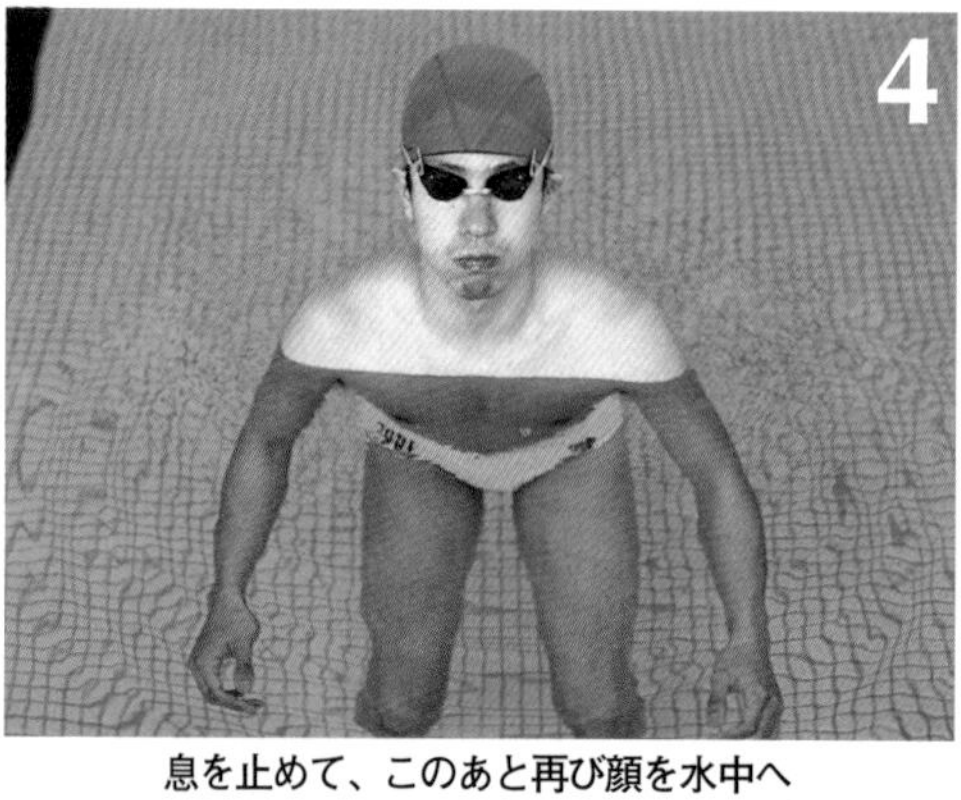

息を止めて、このあと再び顔を水中へ

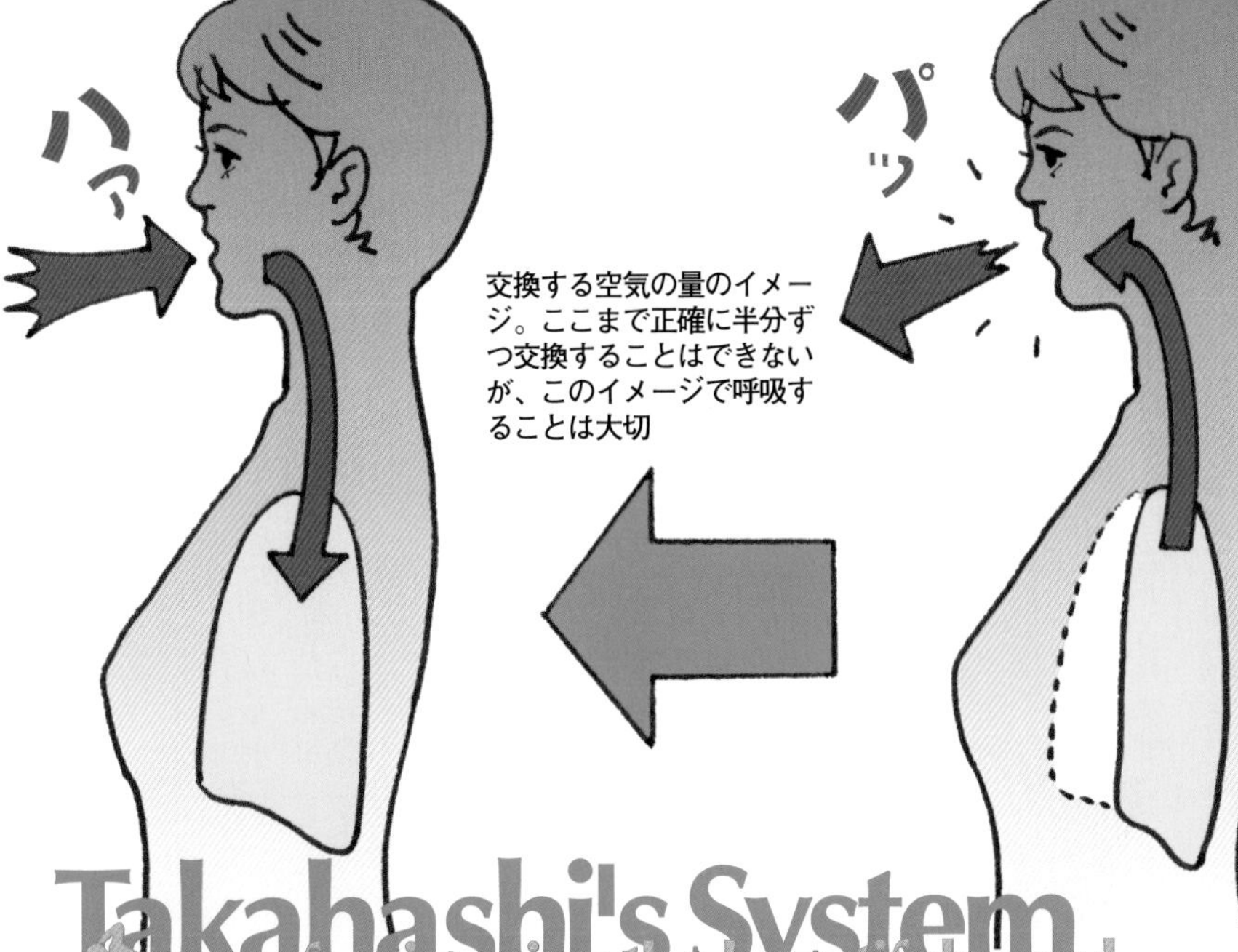

交換する空気の量のイメージ。ここまで正確に半分ずつ交換することはできないが、このイメージで呼吸することは大切

—口呼吸してみよう～その3—

呼吸の目安は半分吐いて半分吸うくらいでOKです。

空気は半分出して半分吸えばＯＫ

実際に水に入って、口呼吸の練習をしてみましょう。

最初なので、ビート板を持ち、顔を上げたまま水底に足をついた状態から行います。

「吐いて吸い、止める動作を意識してください」と言うと、深呼吸のようにめいっぱい呼吸する人がいます。肺の中の空気を吐ききって、苦しくなったら思いきり吸う……と思ってしまうようです。

すばやく大きな呼吸をするのは、多くの空気を交換できるのでよいのですが、ふだんから練習していない人にはむずかしく、吸う量が減ってしまい、ただ苦しくなりがちです。

呼吸もキック同様、軽く優雅に、

顔を上げたまま空気を半分くらい吐く

吐いたぶんだけ吸うようにする

そのまま口を閉じて息を止める

しっかり息を止め、顔を水につける

ゆっくり行いましょう。肺の中の空気を、苦しくなるまで**吐ききる必要はありません**。まずカラダを楽にして、空気を**半分吐いて半分吸えば十分**です。

口呼吸の「吐く、吸う、止める」は「半分吐く、半分吸う、そして止める」ぐらいでかまいません。苦しくならないように、自然に軽く呼吸してみてください。

「半分吸う、半分吐く」を頭に置いて、36ページで練習した口呼吸をくり返す。今度はビート板を両手で支えてやってみましょう

Takahashi's System
of swimming the beautiful crawl

—口呼吸してみよう～その4—

進みながらの口呼吸をマスターしましょう。

顔を上げて息を吐く

キックで進みながら、息を止めて顔を水中へ

泳ぎながらの口呼吸に慣れよう

キック、陸上での口呼吸、顔を水につけての口呼吸、水に入り顔を上げたまま行う口呼吸と、段階を踏んで説明してきました。

これらの練習に慣れたら、今度は顔を水につけてキックしながら口呼吸の練習をしてみます。

まだ手のかきはつけません。ビート板に両手を置き、水につけた顔を前に上げて口呼吸します。

なぜビート板を使ってキックと口呼吸を同時に行うのかというと、初級者はキックを打つ足に気をとられて、呼吸をおろそかにしがちだからです。それまでの経験から「呼吸すると、また水を飲むのでは」と恐怖を感じ、顔を水面に上げられない人も多いでしょう。

ビート板を使えば上半身はつねに浮いているので、呼吸のたびに水を飲んでしまう心配はありません。

キックと口呼吸という2つの動作を同時に行うことに、慣れていきましょう。

吸ったら止めて肺を「浮き袋」に

キックは、今までどおりにゆったりと打ちましょう。**ズン**、タッタッと口呼吸の「パッ、ハァ、ンッ」はリズムが合いにくいので、**ここではズン、タッタッのリズムを意識しなくてもかまいません。**

キックしながら、顔を前に上げて「パッ、ハァ、ンッ」。「ンッ」と止める動作で肺を浮き袋にします。重要なことなので、確実に行いましょう。

吐いた反動で息を吸い、止める

また顔を水中へ。視線は水底に向けておく

いよいよビート板をはずして練習する。初めはビート板をはずすことに不安を覚えるかもしれないが、あわてずに顔が完全に上がってから呼吸すれば、水を飲むことはない。泳ぎ自体の練習ではないので、数回ごとに足をついてもかまわない

Takahashi's System of swimming the beautiful crawl

―口呼吸してみよう～その5―

ビート板をはずして口呼吸を練習しましょう。

両手を軽くかいて顔を前に上げる

泳ぎながら口呼吸をする練習の第二段階です。ビート板をはずしてけのびの状態で進み、顔を前に上げてすばやく口呼吸します。

顔を前に上げる方法はどんな形でもかまいません。左ページの連続写真のように、両手のひらを外側に向けて小さくかく方法もあります。

顔が水の上に出たら「パッ、ハァ」とすばやく呼吸し、「ンッ」としっかり口を閉じて息を止めましょう。

呼吸をすると、すぐに頭まで沈んでしまいますが、息を止めておけば必ず浮き上がります。

この練習で、**すばやい口呼吸**と浮き袋の重要性を体得してください。

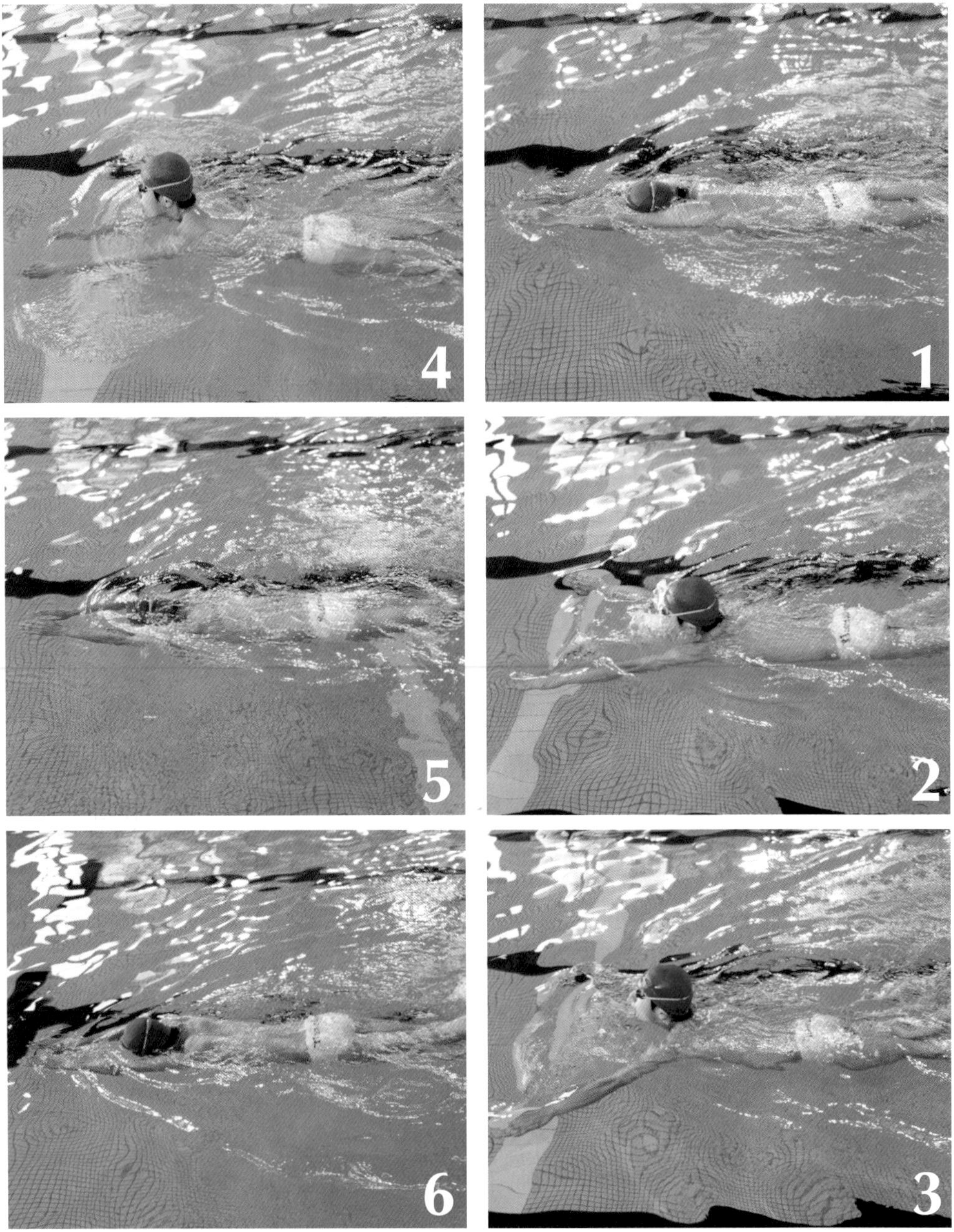

顔を水中に入れたけのびの状態で息は止めておく（写真1）。顔を上げていき、手は顔を上げやすいように動かす（写真2）。顔を上げきったところで息を吐く（写真3）。息を吸う（写真4）。息を止めて顔を水中に入れる（写真5）。またけのびの状態（写真6）。
あくまでも口呼吸の練習なので、手のかきは顔が上げやすければ、どんなかき方でもかまわない

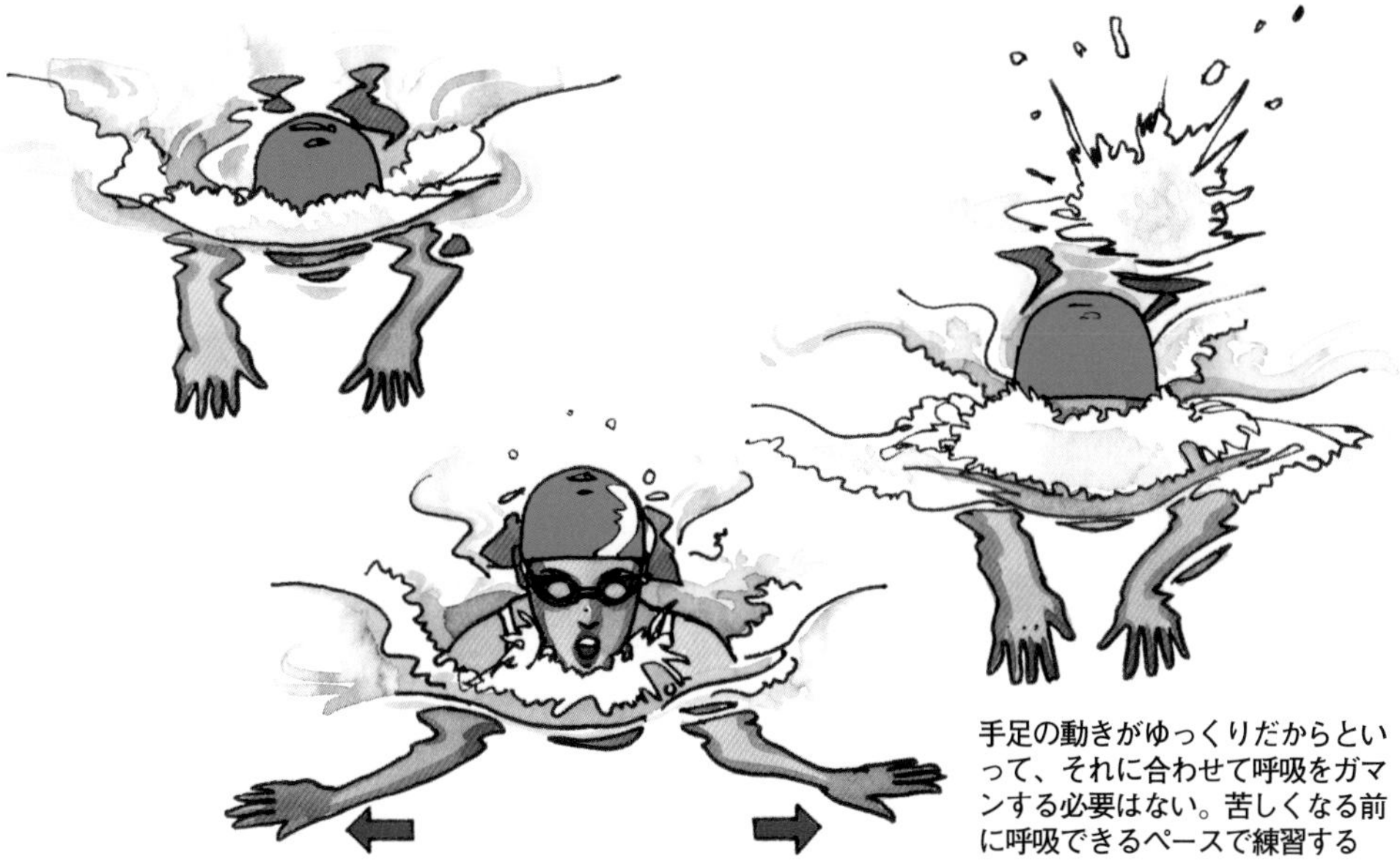

手足の動きがゆっくりだからといって、それに合わせて呼吸をガマンする必要はない。苦しくなる前に呼吸できるペースで練習する

Takahashi's System of swimming the beautiful crawl

―口呼吸してみよう～その6―

呼吸は、苦しくなってからでは遅いんです。

キックのリズムと呼吸のタイミング

次は、42ページで説明した練習にキックをつけてみましょう。

手を重ねないで前に伸ばし、**ズン**、タッタッ、タッタッ、**ズン**、タッタッとキックで進みます。視線は水底に向けておきましょう。

「**ズン**、タッタッ」を1セットとして、2～4セットに1回、顔を前に上げて、すばやく口呼吸します。顔を前に上げる要領は前ページと左ページの連続写真を参考にしてください。

また、呼吸の動作をしている間も、キックはなるべく打ち続けましょう。

この練習で注意してほしいのは、苦しくなる前に必ず呼吸するということです。

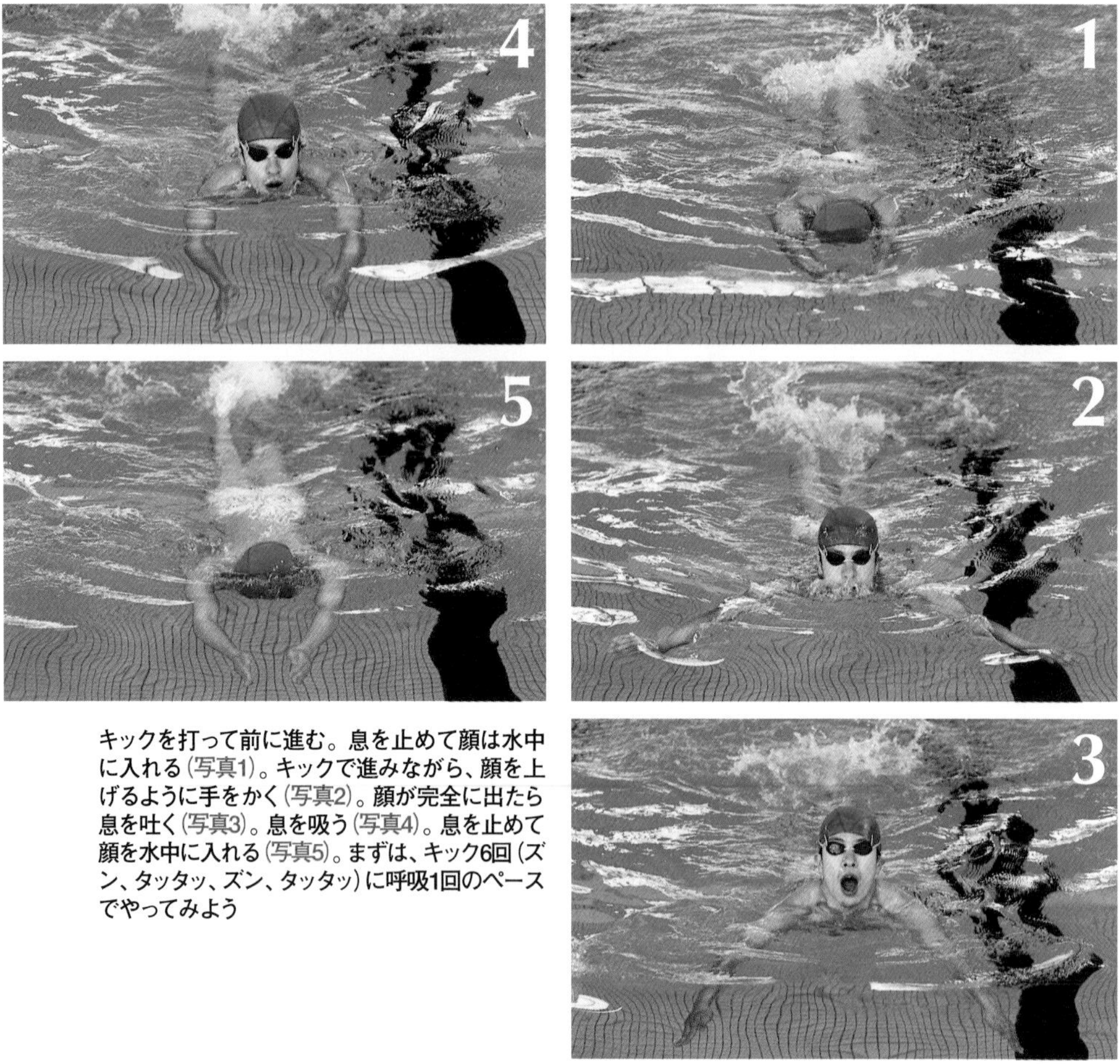

キックを打って前に進む。息を止めて顔は水中に入れる（写真1）。キックで進みながら、顔を上げるように手をかく（写真2）。顔が完全に出たら息を吐く（写真3）。息を吸う（写真4）。息を止めて顔を水中に入れる（写真5）。まずは、キック6回（ズン、タッタッ、ズン、タッタッ）に呼吸1回のペースでやってみよう

苦しくならないリズムで呼吸を

苦しくなってから酸素をとり込もうとすると、たくさんの空気を交換しなければなりません（「パッ、ハァ、ンッ」の口呼吸ではムリ）し、カラダが一気に疲れてしまい、楽に泳ぎ続けられなくなります。

キック6回（2セット）に1回、9回（3セット）に1回と決めて行えば、苦しくなる前に呼吸することを習慣づけられるので、目安にしてみてください。

また、あとでもう一度くわしく説明しますが、上級者のクロールでは、**ズン**、タッタッで1かきして、2かき目に1回呼吸します。この練習には、今のうちにそのタイミングを身につけられるメリットもあるのです。

Takahashi's System of swimming the beautiful crawl

—口呼吸してみよう～その7—

振り返りやすいほうで呼吸しましょう。

腕をうしろへ回し終えたところで「パッ、ハァ、ンッ」の口呼吸をする

上半身を倒して両腕を前に伸ばし、自分が向きやすい側の腕を回し、その動きに合わせて顔をうしろへ向けていく

呼吸は向きやすいほうでする

正面に顔を上げる口呼吸の練習のあとは、横（うしろ）を向いて口呼吸する練習です。

人にはそれぞれ、うしろにいる人に呼ばれたとき、**振り返りやすい方向**があります。右利きの人はわりに右が振り返りやすいようですが、クロールの呼吸は、この振り返りやすい方向で行います。

腕と呼吸のタイミング

この練習では、腕を大きく回します。まずは腕を大きく回したときのカラダの動きと、呼吸のために顔を横に向けるタイミングを、陸上で練習してつかみましょう。

この練習は、大きな鏡の前で動作の1つひとつを確認しながら行うと、より効果的です。

まず、鏡に対して横向きに立ち、足を肩幅に開きます。次に、上半身を地面と平行になるように倒して、腕をゆっくりと大きく、左右交互に回してみましょう。

じつはまだ、本格的なクロールの腕の動かし方（ストローク）の練習ではありません。ひじや手の角度は気にせず、とにかく大きく伸びやかに、ゆっくりと腕を回しましょう。

そのあとは、腕の動きとともに顔をもどしていき、逆の腕も大きくゆっくりと回します。

陸上でのトレーニングで慣れたら、今度はプールの浅いところに立ち、顔を水につけて同じ動作をしてみましょう。

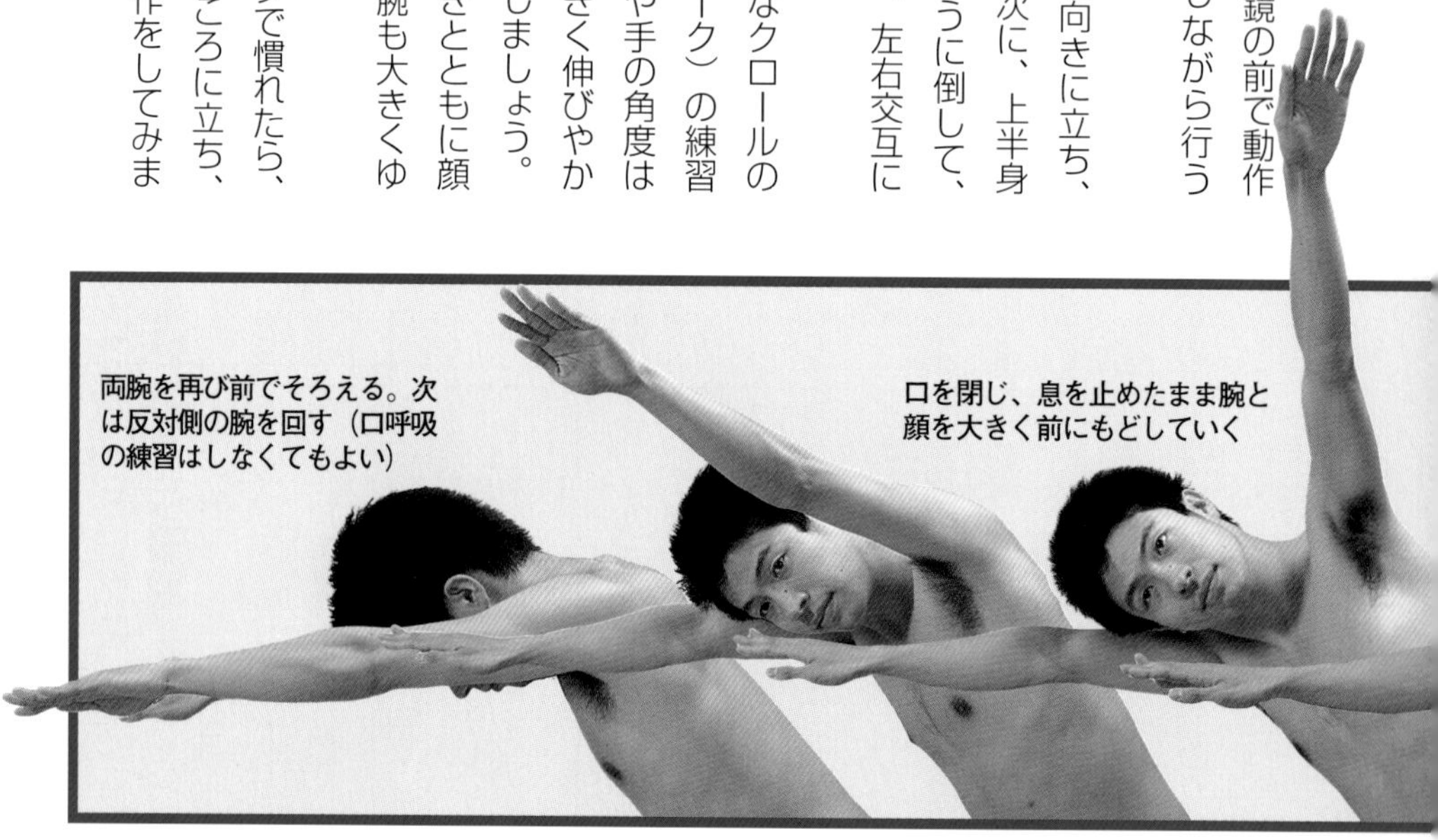

口を閉じ、息を止めたまま腕と顔を大きく前にもどしていく

両腕を再び前でそろえる。次は反対側の腕を回す（口呼吸の練習はしなくてもよい）

ビート板を使えば沈む心配なく呼吸の練習ができる。呼吸のタイミングと、どのくらい顔を上げれば鼻や口に水が入ることなく呼吸できるかを覚えよう

Takahashi's System
of swimming the beautiful crawl

—口呼吸してみよう～その8—

ビート板に片手を置き、「横呼吸」の練習です。

呼吸のタイミングを意識しながら練習する

今度は水に入り、呼吸しないほうの手をビート板に乗せて、片腕だけ回しながら横を向いて呼吸する練習をしてみましょう。

キックを打ち、回さないほうの手はビート板を押さえ込むように乗せておきます。そして、もう片方の腕を回しながら、陸上で練習したタイミングに合わせて口呼吸します。

左腕を回して左側で呼吸する場合は、左腕が顔の真下あたりにきたときに顔を左側に向け始め、体の横の腰のあたりまで回し終えたときに顔をうしろへ向けて口呼吸をします。

腕のかきの練習ではないので、かき方を気にする必要はありません。

(写真は左で呼吸する場合)右手をビート板に添えて、左手を回す。息を止めて顔を水中に入れる(写真1)。左手が顔の下にきたら、徐々に顔を左横に上げていく(写真2〜3)。顔を左横ややうしろに向けて、口が完全に水面から出たら息を吐く(写真4)。息を吐いた反動で息を吸う(写真5)。息を止めて、左手が右手とそろうのに合わせて、顔を水中に入れる(写真6)

呼吸するとき水から出した手や顔に重力がかかり、カラダは沈んでしまうが、水中で息を吐かなければ浮いてくる

Takahashi's System of swimming the beautiful crawl

—口呼吸してみよう〜その9—

息つぎで沈んだカラダは必ず浮いてきます。

手のかきは多少速めに行う。ゆっくりすぎると、呼吸する前にカラダが沈んでしまう

48〜49ページで紹介した練習を、ビート板をはずしてやってみよう

どんなにうまい呼吸でも カラダは一度沈む

いよいよビート板をはずしての「横呼吸」です。ただし、今までの練習と同様に、呼吸で振り向かないほうの腕は前に伸ばしたままにします。

ゆっくり泳ぎながら息つぎの動作を行うと、顔と片腕を上げることでそこに重力が大きくかかります。

これは、水中では浮力に助けられて実際の重さの8分の1程度になっていた部分が水上に出るために、どうしても起きてしまいます。

したがって、どんなに**うまく呼吸をしても、カラダは一度沈む**んです。

そのタイミングは、意外に認識されていないようですが、ゆっくり優雅に動作を続ければ、なんの問題もありません。

ここであわてると、息つぎのときに水を飲んでしまいますし、泳ぎのフォームが崩れてしまいます。

あわてず、さわがず 浮いてくるのを待つ

「パッ、ハァ、ンッ」と口呼吸をしたあとも、あわてずにゆったり動作を続ければ、浮力をとりもどしたカラダは、うまい具合に浮き上がってくるんです。ですから、カラダが浮いてくるのを安心して待ちながら、キックを軽く打ち続けましょう。沈むことをこわがると、ムダな力が入ってさらに沈みやすくなります。

軽く上手にキックを打ち続ければ、(浮き袋にした肺の浮力に加えて)進むことによってカラダが自然に浮いてくるので、軽快に前へ前へと進み続けられるのです。

カラダはいったん水中に沈むが、息を止めてキックを打ち続ければ浮いてくる

沈んだカラダが再び浮いてきたら、顔をやや前に向けて進み、完全に浮いたら同じ向きで呼吸をくり返す

Takahashi's System of swimming the beautiful crawl

―落ち着いて泳ごう～その1―

手のかきは呼吸のついでと考えましょう。

初級者なら手のかき3のキック7で

クロールでは、手のかきとキックのバランスは「7対3」などといいます。しかしそれは、フォームが完成した中級者以上のスイマーにあてはまることです。

「25メートルをラクラク泳げるようになりたい」と考えているくらいの初級者なら、意識を**手のかき3、キック7**ぐらいに配分して泳いでください。その際に、全力を手のかき3、キック7に配分して泳ぐのではなく、ゆっくりと全力の20～30％くらいの力を使うようにしましょう。

手のかきは「呼吸のついで」「キックのおまけ」

カラダを水にプッカリと浮かせ、

この段階では、キックが推進力のメイン（写真1）。左手をかく。顔を上げ始めるタイミングは47ページの陸上トレーニングと同じ（写真2）。顔をうしろに上げて大きく口呼吸（写真3）。呼吸して腕を前にもどす間にカラダは沈むが、肺に空気をためてキックを打ち続ければ、浮いてくる（写真4〜5）

前進するためのキックを効率よく打てていれば、**手のかきは呼吸のついで**にするぐらいに考えてよいでしょう。

うまくキックが打てるようになっていれば、たとえ手でかかなくても沈むことはないんです。

「手で進もう、かこう、かこう」と意識しなくてもだいじょうぶです。力強くかく必要もありません。

「息つぎのついでに手も回そう。軽くかけば、さらに楽に進むんだ」、くらいにリラックスした気分で、水中では少し前方を見ながら泳ぐことが理想です。

下半身には、すでに前進するためのキックというエンジンがあるわけですから、この段階では、手のかきは〝おまけ〟のつもりで楽にやってみましょう。

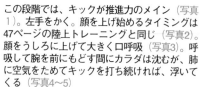

水中でかくのは胴体の下と覚えておこう

Takahashi's System of swimming the beautiful crawl

—落ち着いて泳ごう～その2—

手のかきのポイントは、本当に少ないんです。

注意したいポイントはたったの3つ

最初からこまかいポイントを挙げても混乱するだけだと思うので、初めは①かくコース②指の向き③手の形　の3ポイントに集中しましょう。

まず、水中で手をかくコースは、なるべく手をまっすぐに動かすつもりで、胴体の下をかきましょう。

指の向きは、水から上げたときに、親指が自然な形でリラックスしたまま下を向いていればOKです。

水をかくときの手の形は、スプーンのように丸める必要はありません。指は自然に伸ばして、指と指の間に少しすき間が空いているくらいのほうが、水かきのような膜ができて1回にかける水の量が多くなります。

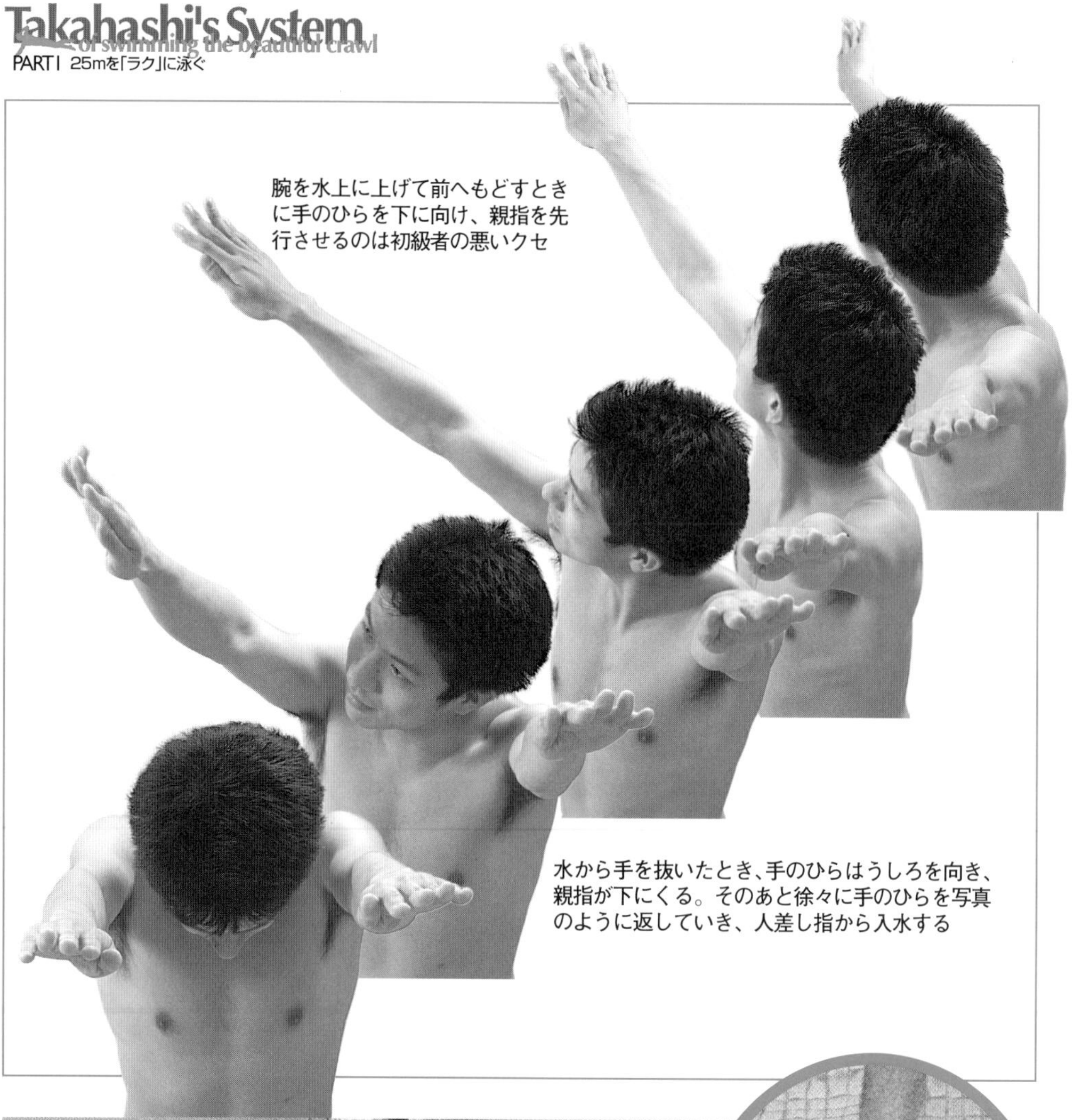

腕を水上に上げて前へもどすときに手のひらを下に向け、親指を先行させるのは初級者の悪いクセ

水から手を抜いたとき、手のひらはうしろを向き、親指が下にくる。そのあと徐々に手のひらを写真のように返していき、人差し指から入水する

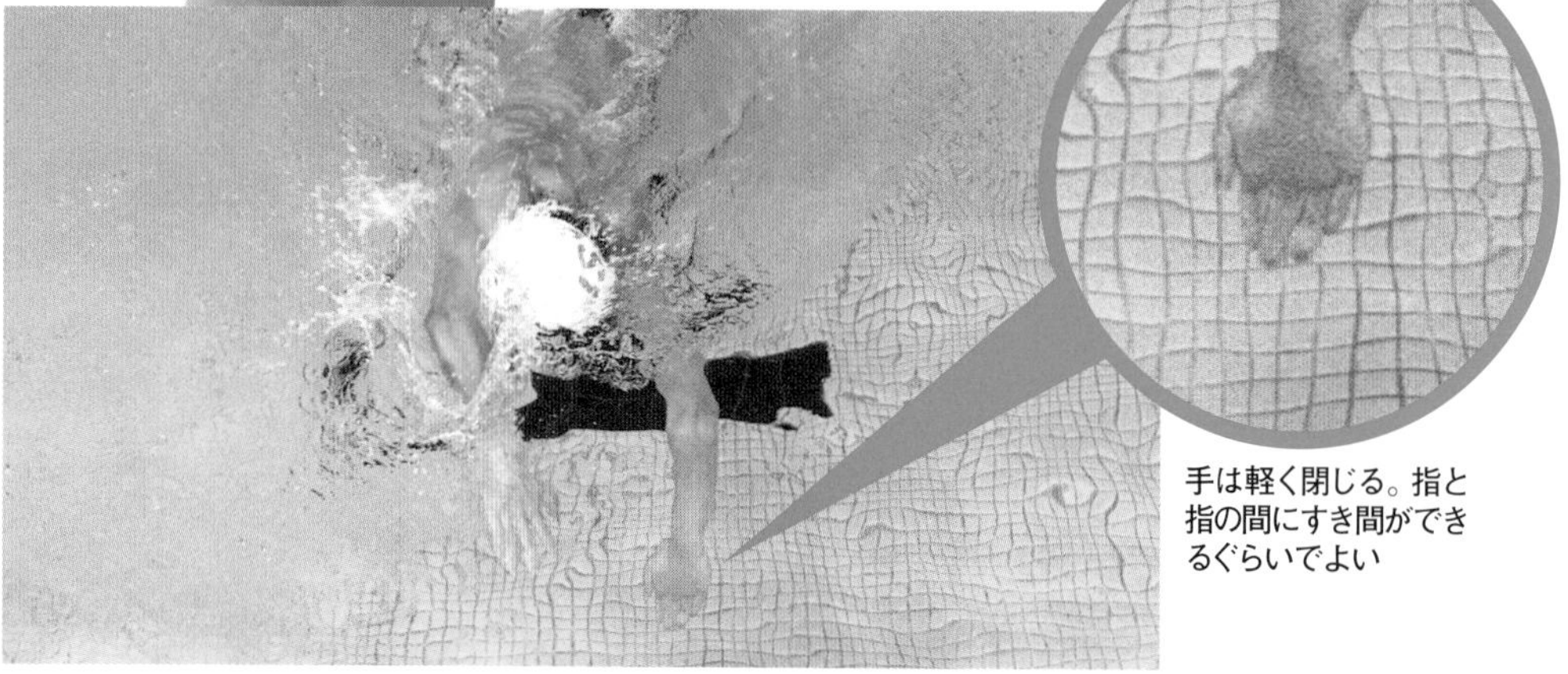

手は軽く閉じる。指と指の間にすき間ができるぐらいでよい

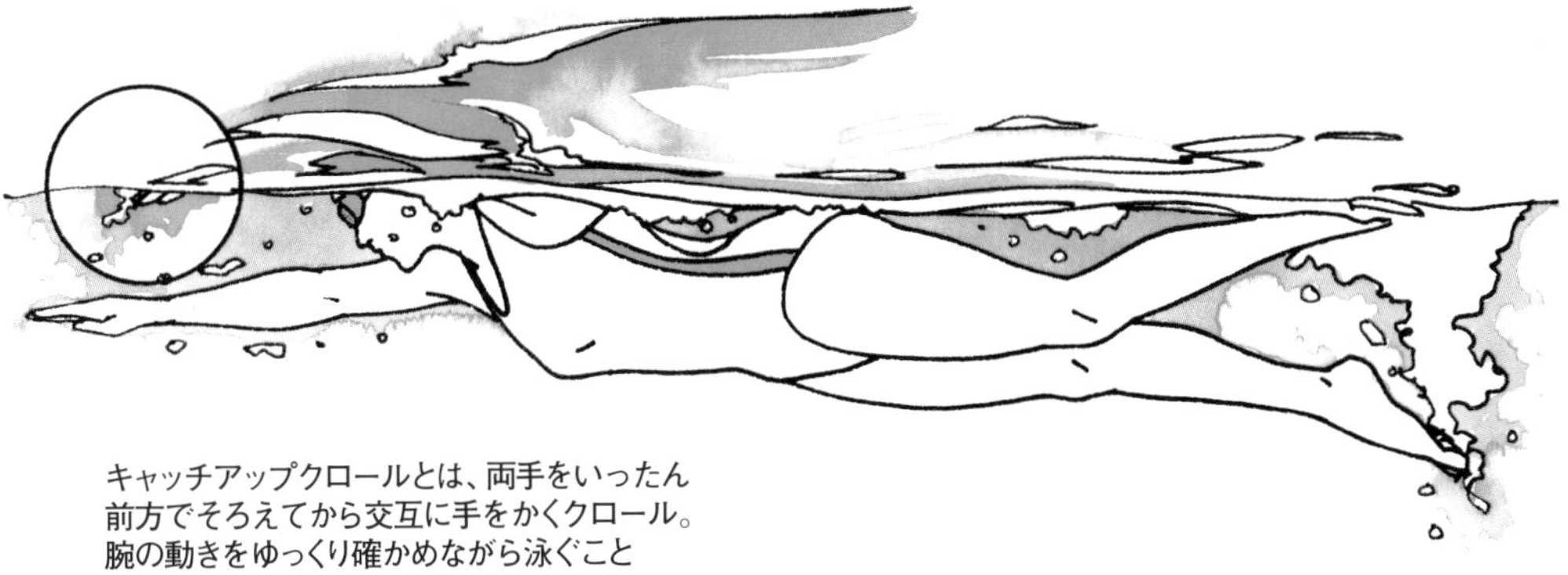

キャッチアップクロールとは、両手をいったん
前方でそろえてから交互に手をかくクロール。
腕の動きをゆっくり確かめながら泳ぐこと

Takahashi's System of swimming the beautiful crawl

—落ち着いて泳ごう～その3—

手のかきの基本は、両腕の追いかけっこです。

キャッチアップクロールで手のかきを練習する

本格的なクロールの手のかきを覚えるために、かいた手を毎回前で合わせる〝キャッチアップクロール〟の練習をします。これまで覚えた動きを1つひとつ確認しながら行ってください。

片方の腕を前に伸ばしたまま、もう片方の腕で水をかき、前方で手をそろえます。腕をドンドン回さなくちゃ……と思わないで、ゆっくり確かめるように回しましょう。

キックを効率よく打ち続ければ十分前に進みますし、かくたびに「吐く、吸う、止める」の呼吸をすれば苦しくなりません。あわてずに体重を前にかけ、**水に乗っかるイメージ**で練習してみてください。

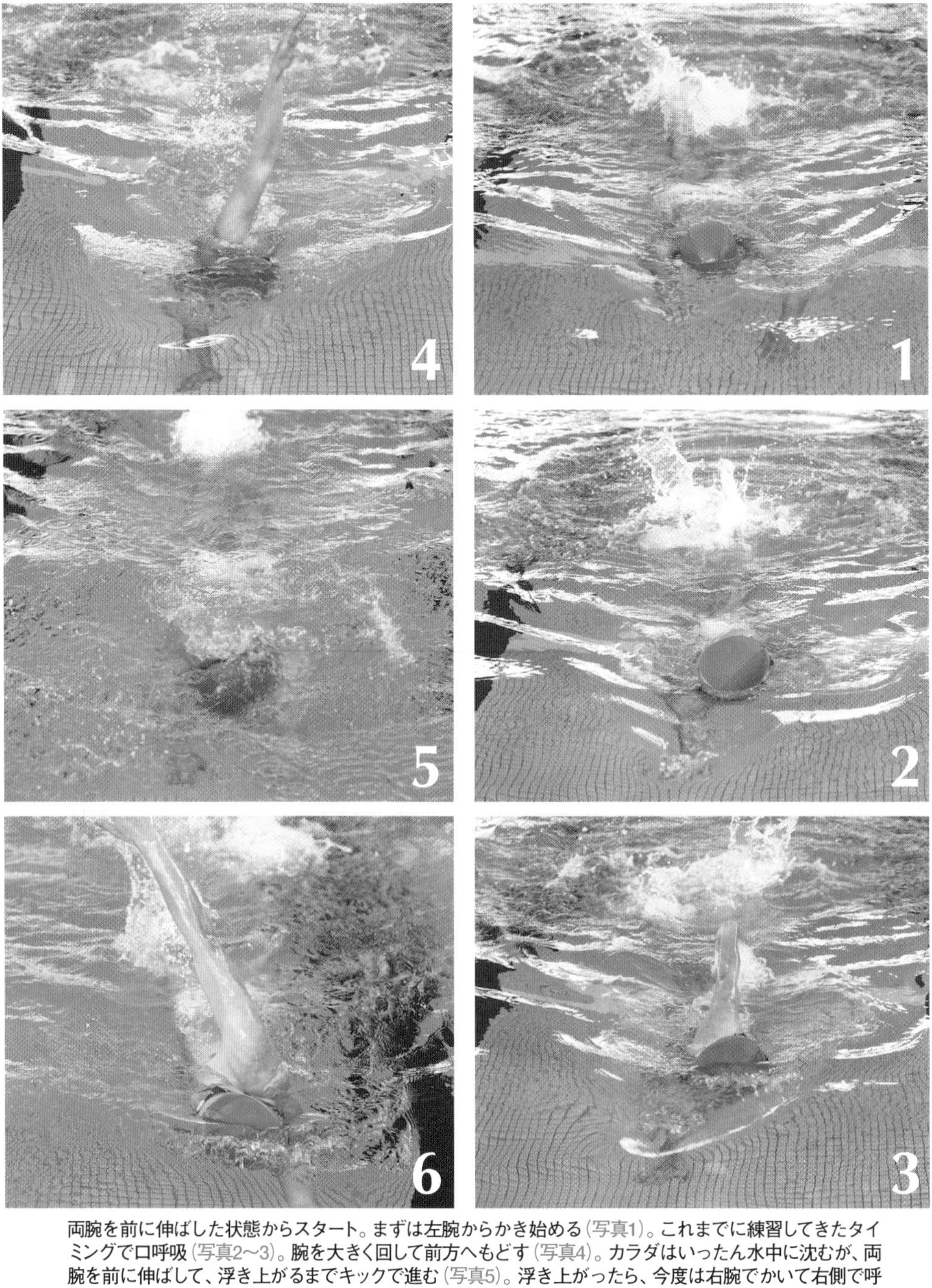

両腕を前に伸ばした状態からスタート。まずは左腕からかき始める（写真1）。これまでに練習してきたタイミングで口呼吸（写真2〜3）。腕を大きく回して前方へもどす（写真4）。カラダはいったん水中に沈むが、両腕を前に伸ばして、浮き上がるまでキックで進む（写真5）。浮き上がったら、今度は右腕でかいて右側で呼吸する（振り向きやすい側だけでもよい）（写真6）

ゆっくりとリラックスして泳ごう。じつはこれが、クロール上達の近道でもある

Takahashi's System
of swimming the beautiful crawl

―落ち着いて泳ごう～その4―

速く泳ごうとしないのが、クロール上達の秘訣です。

泳げるからといって、急いではダメ

クロールで泳ぐとき、「とにかく腕を回し続けなきゃ」とか「早く向こうのプールサイドに着くために、パワー全開でキックをガンガン打って進まなくちゃ」と思ってはいませんか。

泳げるようになってくると、なるべくハイペースでプールを何回も往復したほうが練習になると思ってしまう人がいます。ですが、それは大きな間違いで、逆に**速く泳ごうとしない**ことが、上達の秘訣《ひけつ》なのです。

水泳の練習はとにかくリラックス

たとえば、自転車に乗るときのことを思い出してください。

水泳も自転車と同じ。全身リラックスして、リキまないほうがカンタンに前に進む

自転車に初めて乗るときは、ハンドルをギュッと握りしめ、肩に力が入った状態でペダルを必死に漕《こ》いでいませんでしたか。

それが、うまく乗れるようになるにつれ、手はハンドルに添えるようにソフトに置いて、足も必要なときに力を入れるだけで十分だとわかるようになったと思います。

クロールもこれと同じで、慣れないうちからハイペースで泳ごうとすると、自転車の乗り初めと同じようにリキんでしまい、かえってうまく泳げなくなるものです。

クロールできれいにゆったり、長く泳ぐには、自転車にうまく乗れたときと同じ感覚で、リラックスする必要があります。

力を抜いてリラックス……これが上手に泳ぐコツなんです。

いままでの練習をひととおりやってみたら、またビート板を使って各動作をチェックしよう

Takahashi's System of swimming the beautiful crawl

―落ち着いて泳ごう〜その5―

ビート板を使って、できるだけゆっくり泳いでみましょう。

落ち着いてゆっくり進む

うまく泳げるようになるには「泳ごう、泳ごう」と意識しないのがコツです。なぜ、そのようなことがいえるのでしょうか。

泳ぐということは、カラダ全体を前へ進めること。つまり、前方に伸ばした指先に体重を乗せて、その位置まで胴体を進めることです。ゆったりとした身のこなしを、前進するための最大のエネルギーに変えるコツが、指先に体重を乗せることなのです。

それでは、どうしてもバタバタあわてて泳いでしまう、またはゆっくり泳げない人のために、もう一度ビート板を使って、ゆっくりと泳ぐ感覚を確認してみましょう。

チェックするポイントは、①キックのリズム②ひざや足首など足全体の動き③手のかきの軌道④親指や手のひらの向き⑤呼吸時の顔の向き。さらに、すべての動作のタイミングがそろっているか
苦手なものがあったら、この体勢でしばらく練習を続けよう

1つひとつの動作をチェックしていく

　まず、キックは軽く、リズミカルにリキまず打ちます。そのときに、ひざや足首の動きを意識して、キックがやわらかく打てているかどうかをチェックします。腕とキックがうまくできたら、次はビート板に置いた手に体重を乗せる感覚を大切にしましょう。

　次に、ビート板に両手を乗せて片腕ずつ軽く回します。そのときに、親指の向きや手のかきの軌道、呼吸との連動などを確認しましょう。

　落ち着いてゆっくりと、1つひとつの動作を確認しながら、丁寧《ていねい》に行ってください。

　これをくり返すだけで、泳ぎがグングン上達します。

25メートル泳いだら、疲れる前にひとまず休憩をとる。休んでいる間に泳ぎ方を再確認しておくのもよい

Takahashi's System
of swimming the beautiful crawl

—落ち着いて泳ごう～その6—

ムリにターンする必要はありません。

泳ぎきったら15～20秒休憩する

プールで25メートルを泳げるようになったら、続けて泳いでみたいと思うかもしれませんが、わざわざ本格的なターンを覚える必要はありません。

25メートル泳ぎきったら壁際で底に足をついて立ち、15秒でも20秒でも休んでから、また新たな気持ちで折り返せばいいのです。

長く泳ぎ続けることは、けっして悪いことではありませんが、ムリにターンすることよりも、伸びやかに気持ちよく泳ぐことを大切にしましょう。

どうしても続けて泳ぎたいという人もいるかもしれません。そんな人は、カラダを壁に十分に寄せてから一度底に足をついて立ち、壁に両足の裏をつけて壁を蹴ってみましょう。

蹴ったあとは、すぐに泳ぎ出さず、〝けのび〟の姿勢でスーッと水面を進みます。

前に進むスピードが落ちてきたなと思ったら、手のかきとキックを始めましょう。

頭で「疲れたなぁ」と感じ始めたら、カラダはもっと疲れているもの。まずはどれだけ泳げるかチャレンジするよりも、休みを適当にとりながら、「楽に泳ぐ」ための泳ぎ方を身につけてしまおう

―ここまでのまとめ―

PART1ができれば中級者の仲間入りです。

水に入るのが楽しくなりましたか

みなさんの水に対するイメージや水泳、とくにクロールに対する見方も、かなり変わったと思います。

これまでの自分の泳ぎを改良できるような発見があると、水に入るのがとても楽しくなるものです。

25メートルが楽に泳げるようになって、一生水とつき合いたい、いや絶対につき合おう……と思えてきたとすれば、みなさんのスイムライフはこれからさらにステップアップして、もっともっとステキなものになるでしょう。

自分の長所を失わない それが理想型

ほかのスポーツと同じように、クロールにも「理想型」があります。

野球のバッティングフォームなどのように、ムダのない美しい形が、クロールの泳ぎ方にも確かに存在します。

ただ、その理想の形に1人ひとりの個性を無視してギュウギュウと押し込めていくようなことをするとうまくいかないんです。

僕は、その人の持つ素質や性格、体格といった個性をよく見極めて、ちょっと変化させる……つまり、理想の形を押しつけるのではなく、必要なところだけアドバイスして、その人の長所を残したステキな泳ぎを楽しんでもらえるよう心がけています。

PART2からは、いよいよ本書の目標である〝美しいクロール〟を泳ぐためのテクニックを紹介していきます。

's System
; the beautiful crawl

PART 2

クロールで美しく泳ぐ

Takahashi
of swimming

Takahashi's System
of swimming the beautiful crawl

—ゆったり優雅に泳ぐには—

美しいクロールの秘訣は、「がんばって泳がない」です。

楽しく優雅に泳ぐには

一生懸命に水をかき、がんばってキックして息もゼイゼイ……なんて人を見かけると、僕は「もったいないなぁ」と思ってしまいます。せっかく泳ぎに来ているのですから、楽しまなくては……。

楽しく泳ぐための準備として、PART1では「疲れない泳ぎ方」を紹介しました。この泳ぎ方ならだんだん気分も乗ってきて、カラダの動きにも余裕が出てくるでしょう。この余裕が泳ぎの優雅さやゆったり感につながります。

大きな泳ぎでゆったり楽に

水泳の基本はコツとタイミングで

水中でも、ゆったりとかく

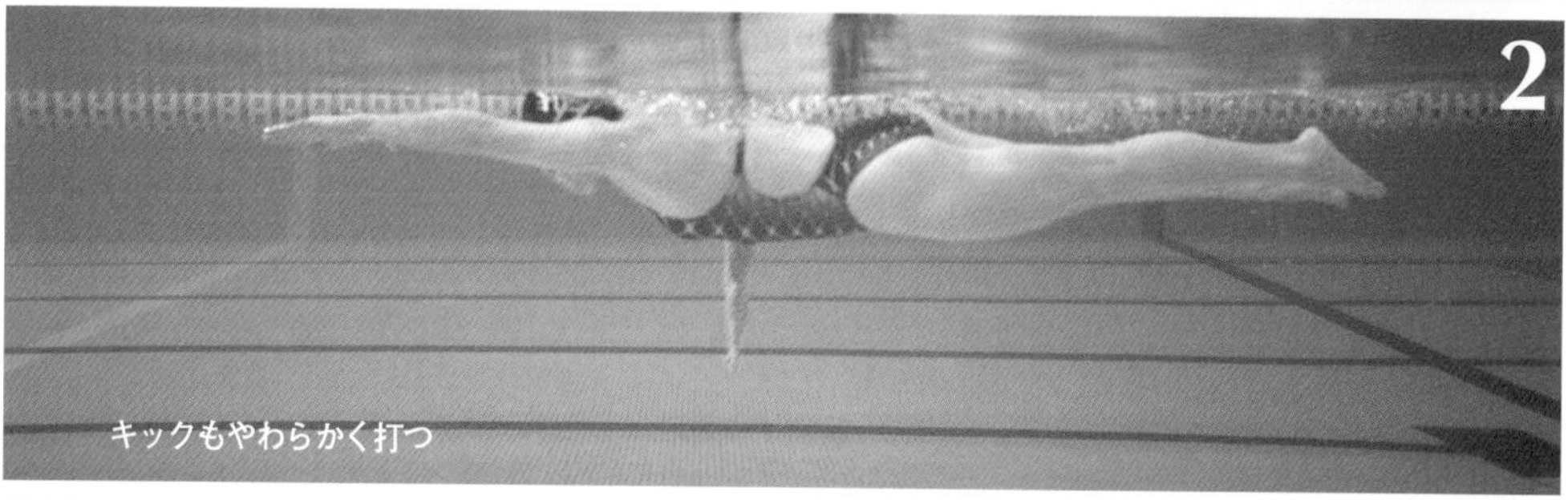

キックもやわらかく打つ

カラダを大きく使って、スーッと進む感じ

す。この2つをつかめば、楽に泳げます。クロールでも、これまで紹介した浮くコツや進むコツを思い出しながら、呼吸と手のかき、キックのタイミングを合わせて、大きくのびのびと泳いでください。これがPART2を通して紹介していく**ストレッチングクロール**の基本になります。

　カラダを十分浮かせて、1かきずつゆっくり泳げば、カラダは自然に進みます。軽快なテンポで歩くと、雲の流れや季節の花々にも目がいき、さわやかな風を感じられるものですが、泳ぐときも同じです。水をかこうかこう、蹴ろう蹴ろうとすると、それだけでムダな力を使ってしまいますし、フォームも崩れます。

　がんばることなく、優雅にゆったり泳ぐ。それが美しいクロールを身につける最大の秘訣《ひけつ》です。

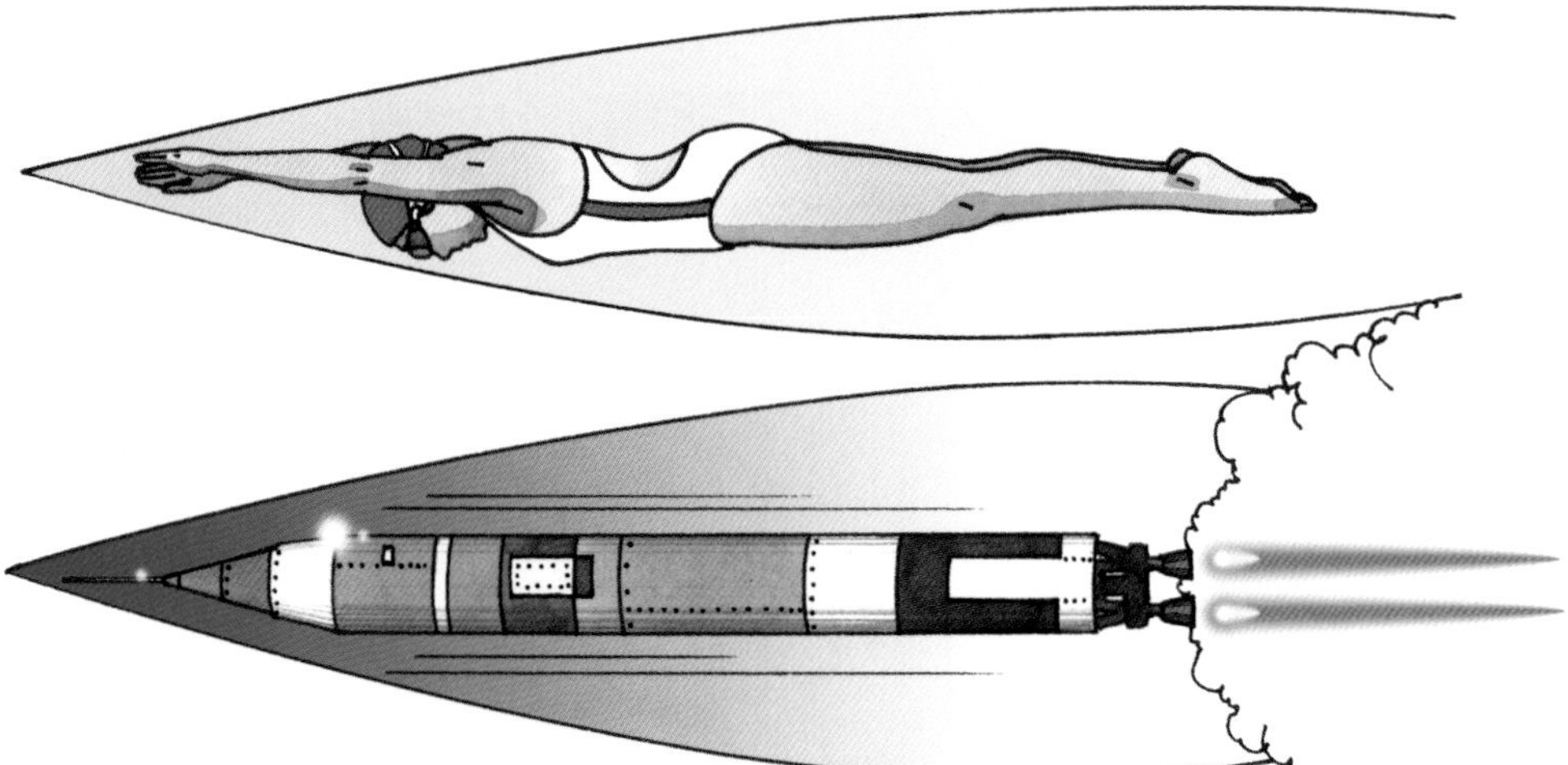

水の抵抗を最小限に抑えるための姿勢が
“ストリームライン”だ。大気圏を突き抜けるロケットをイメージして姿勢をつくってみよう

Takahashi's System
of swimming the beautiful crawl

—ストリームライン〜その1—

ストリームラインで、水を全身に感じましょう。

イメージはロケットやスポーツカー

ストリームラインとは、水の抵抗をできるだけ減らした、カラダをまっすぐに伸ばした姿勢のことです。

この姿勢がうまくいかないと、ムダに水の抵抗を受けてしまい、ブレーキを踏みながら走っている車のように、効率の悪い泳ぎになってしまいます。

ストリームラインを身につけるために、まず陸上でこの姿勢をつくってみましょう。

まっすぐ立ち、両腕をそろえて頭上に上げます。このとき、腕は両耳をはさむ感じで、つま先立ちします。ムリのない背伸びの姿勢です。背中を反らさず、あごを上げないでひざを伸ばしましょう。

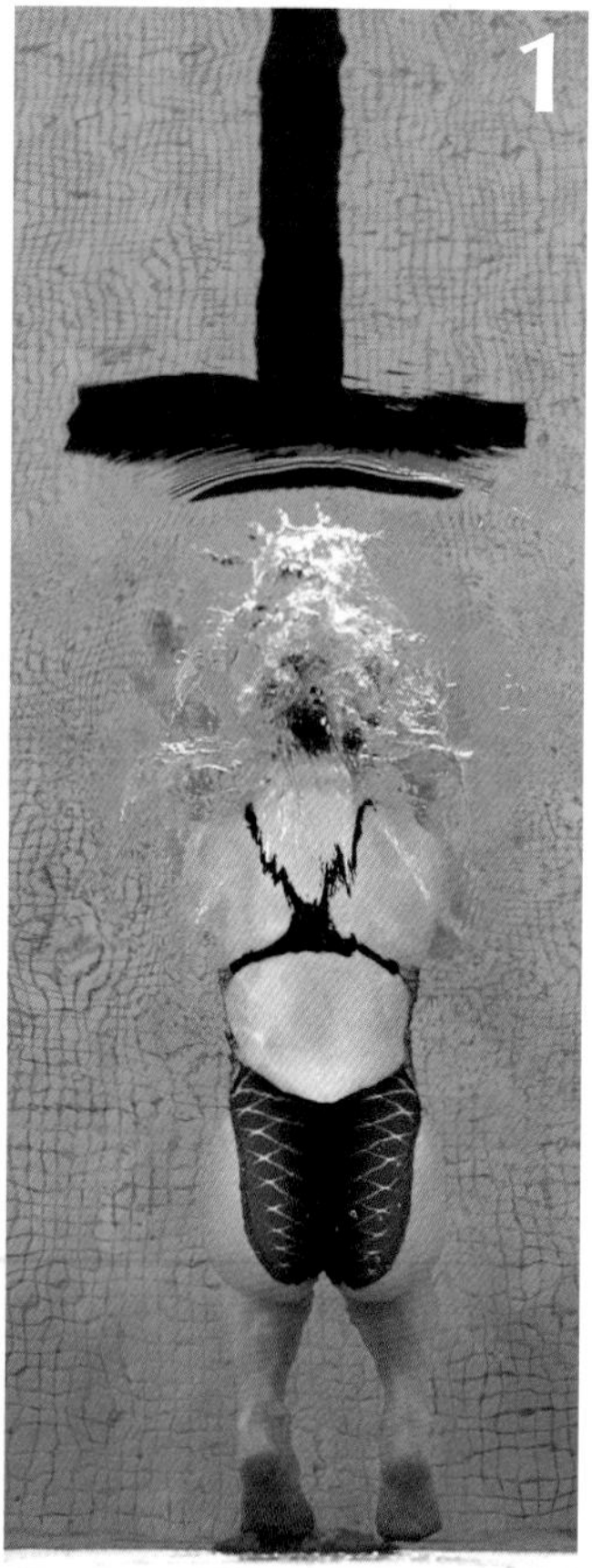

肺いっぱいに空気をため、息を止めたまま水の中にしゃがむ

腕は頭のうしろから伸ばし、足の裏を壁につけてから蹴る

手を重ねて全身を伸ばして進む

ストリームラインで水中を進む

次は、このストリームラインを水中でつくってみましょう。水の底と平行になって、カラダが進むイメージです。

水面下30～50センチのところでは、水面にカラダが出やすく、大きな抵抗を受けやすいので、水の底を進むつもりでトライするとうまくいきます。その際に、視線は前方を見ないで真下に向けておきます。

水の抵抗をなくすことを意識して、眉間《みけん》あたりに気持ちを集中させましょう。

泳ぎ出す前にときどきトライして、水の感触を味わってみるとよいでしょう。そのつど、新しい発見があるかもしれません。

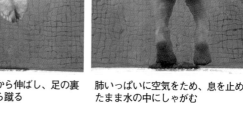

この姿勢が、ストリームラインの最高の形。下に挙げた8つのポイントを思い出しながらチャレンジしてみよう

Takahashi's System of swimming the beautiful crawl

―ストリームライン～その2―

水の抵抗を減らすポイントは8つです。

抵抗を極力減らした姿勢がストリームライン

ゆったりきれいに泳ぐうえで基本の形になるのがストリームライン。できるだけ水の抵抗を受けない姿勢をつくりたいものです。

水の抵抗を受けてブレーキになってしまう部分は、指が開いているか足首が曲がっているかなど、こまかいところですが、この少しの違いが大きなブレーキになってしまいます。ですから、指先から足先まで、カラダが一直線になるように伸ばしてください。

ストリームライン 8つのポイント

ストリームラインの姿勢には、

①手のひらを下向きにして重ねる

よい例　水の抵抗を受けにくい

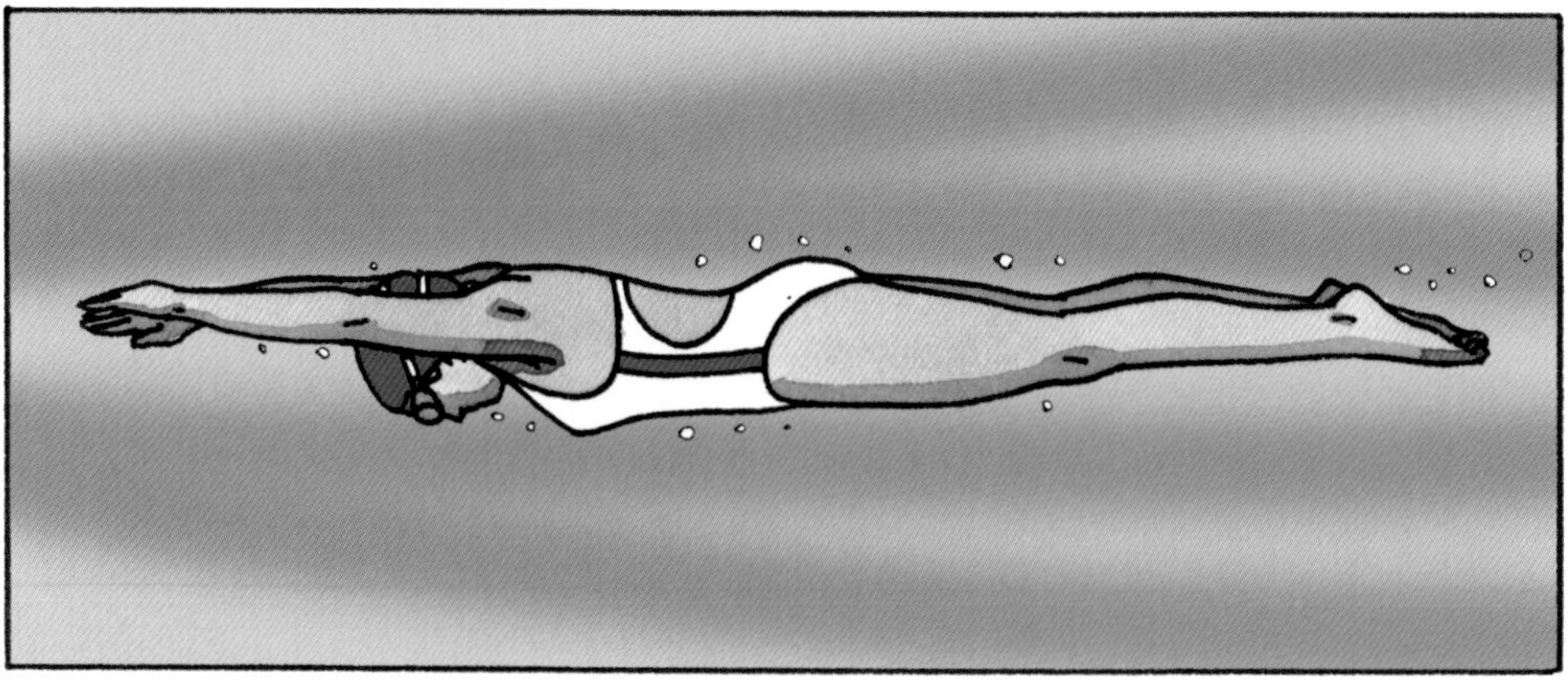

悪い例　さまざまな部分で水の抵抗を受ける

②両腕で両耳をはさみ、ひじはなるべく寄せる
③頭を上げない。下げすぎない
④あごを自然に引く
⑤腰やお尻が「く」の字に曲がらないようにする
⑥ひざを伸ばす
⑦両ひざが離れすぎないようにする
⑧足首をやわらかく伸ばす
——といったポイントがあります。

自分にとってもっとも水の抵抗を受けない姿勢のイメージを第一に考え、できるところから改善するために鏡の前でチェックするとよいでしょう。

壁を蹴ってスーッと10メートル進めたら上出来。これで25メートルプールの半分ぐらいまで行ければ、もうトップスイマーのレベルです。

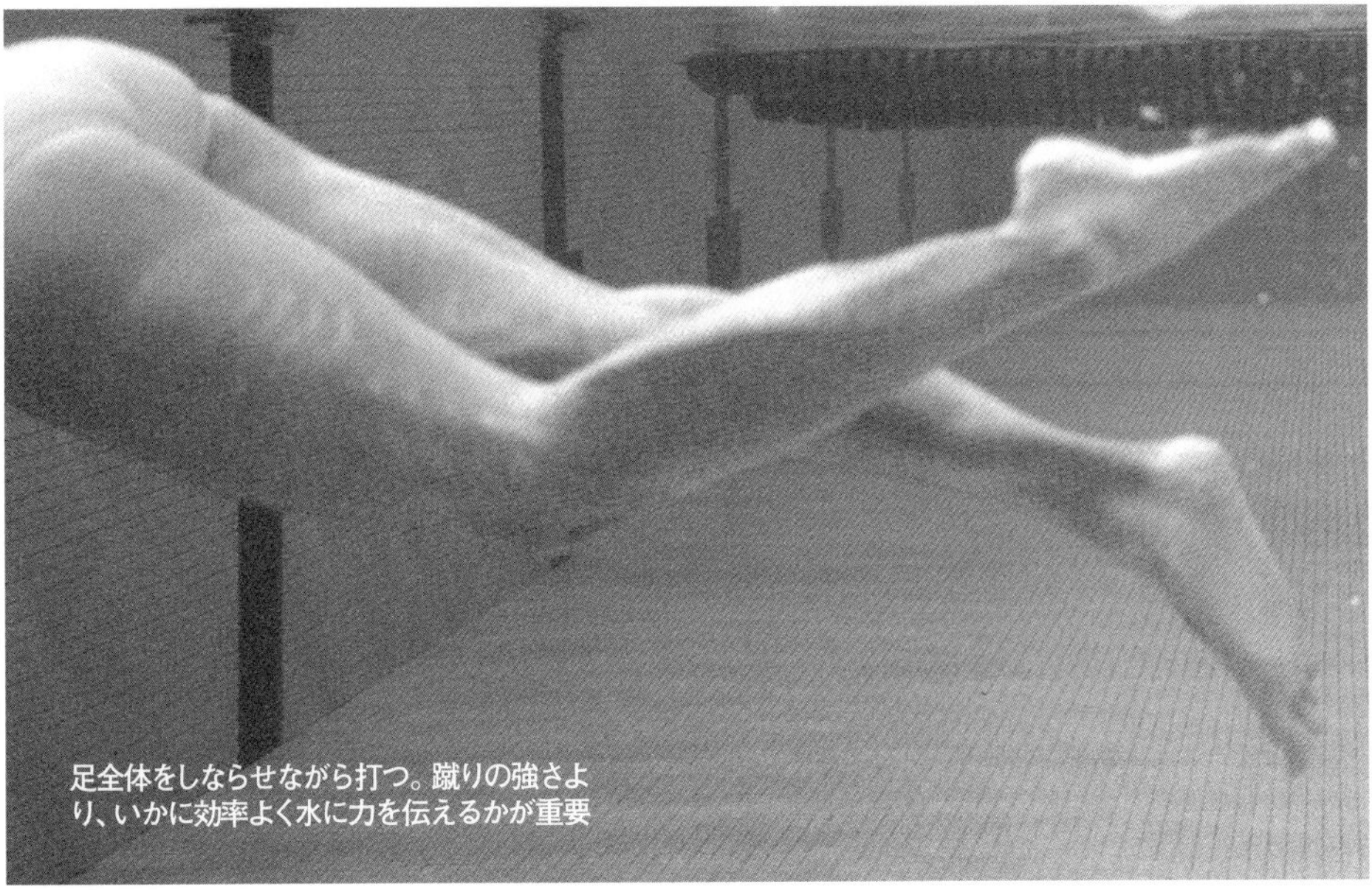

足全体をしならせながら打つ。蹴りの強さより、いかに効率よく水に力を伝えるかが重要

Takahashi's System of swimming the beautiful crawl

—美しいキック～その1—

足の幅を広くするのが効率よいキックです。

キックのポイントは足首の動き

クロールのキックは、足全体をやわらかく使い、ムチのようにしならせながら打つのが理想です。

ＰＡＲＴ１（14ページ以降）でも、ひざの力を抜いて関節をやわらかく使うことや太ももの押し上げで足全体の力を効率よく水に伝えること、足首の力を抜いてイルカの尾のように使うことなど、強く蹴らずに効率よく楽に進むには、足全体をやわらかく使えばよいということを説明してきました。

みなさんもそれらを実践すれば、ずいぶん楽に進めるようになれると思いますが、ここではさらに効率よく、美しく進むためのポイントを紹介します。

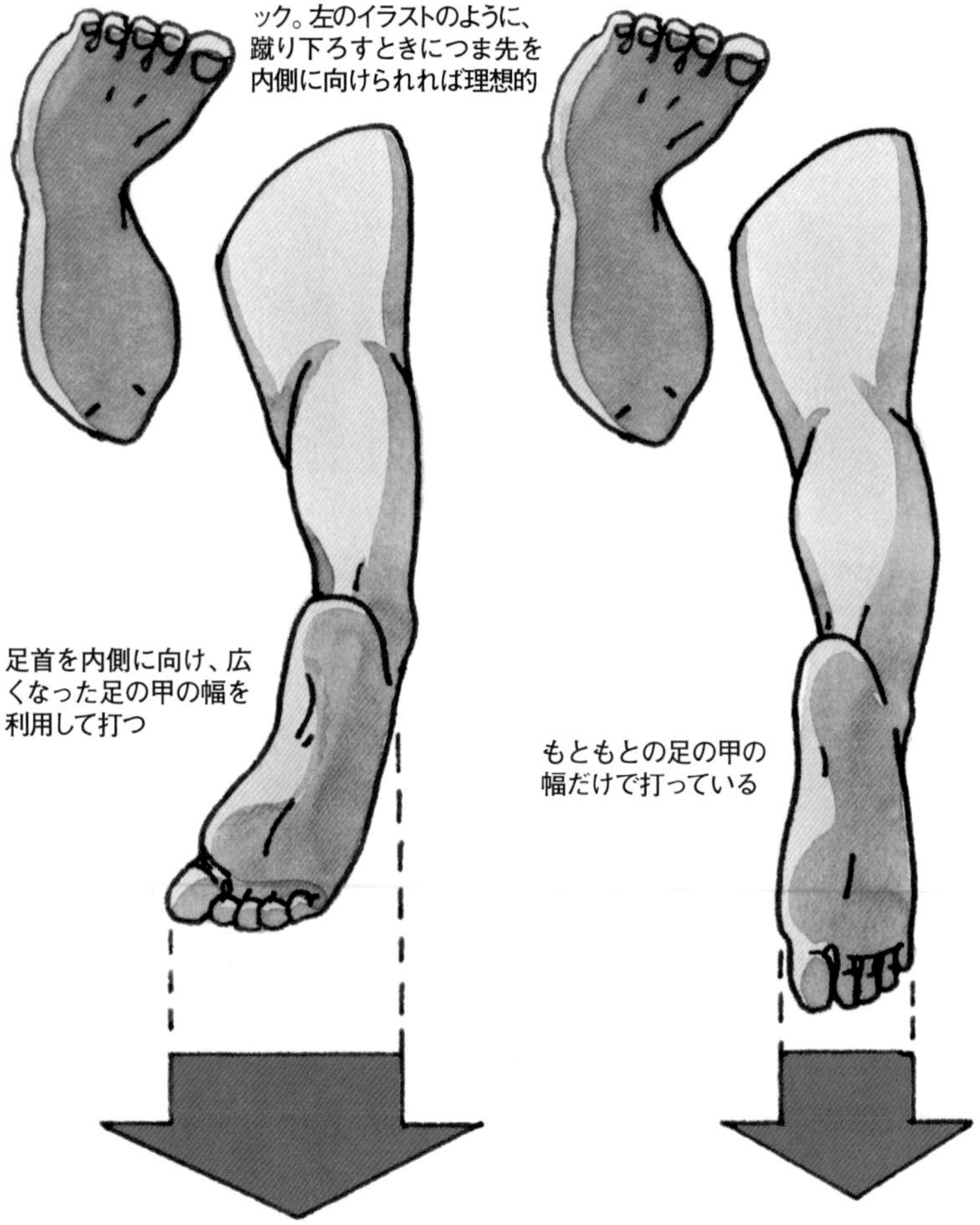
うしろから見たクロールのキック。左のイラストのように、蹴り下ろすときにつま先を内側に向けられれば理想的
足首を内側に向け、広くなった足の甲の幅を利用して打つ
もともとの足の甲の幅だけで打っている

つま先を少し内側に向けて力を抜く

それは、蹴り下ろすときに足首を内側に向けることです。

足を少し開き、足首はやや内側に向けるイメージで力を抜ければ、だれでも自然に足が内側を向くようになります。

足首を内側に向けることで足の横幅を利用できるので、1回のキックで効率よく多くの水を蹴られるようになり、より多くの推進力が生まれるのです。

蹴り下ろすときだけ、足首を内側に向け、力を抜いて最後の瞬間に「ピッ」とスナップを利かせます。

また、内側に向けるぶん、ぶつかりやすいので、左右の脚の間は少し開けておきましょう。

25mを楽に泳げる中級以上の人は脚のことをほとんど忘れてもかまわない。意識は手のかきに向けて

Takahashi's System of swimming the beautiful crawl

—美しいキック〜その2—

キックを意識しすぎると、フォームが崩れやすいんです。

キックは意識しすぎない

キックは強く打とうとしないでください。足全体をやわらかく、ゆったり使えば美しく見えますし、効率よく進むためのコツでもあります。

ＰＡＲＴ１から読み進めて、練習を実践してきた人は、十分に推進力のあるキックを打てるようになっているはずですし、「６ビートのリズム（26ページ参照）」がつかめていれば、脚のことはほとんど忘れてしまってもいいんです。

キックしている姿を自分では見れませんし、外からどう見えているのかと不安に思うかもしれません。ですが、「これでいいのか？」と思うと、意識どころか〝自意識〟が足に集中してしまいます。

キャッチアップクロール

初級者は、1かきごとに両手をそろえるキャッチアップクロールで口呼吸のしかたや泳ぎのタイミングとコツを覚える。推進力はキックが主体。中級以上の人は意識を手のかきに置き、スーッと前に伸びていく感覚をつかむ

中・上級者のクロール

そんなときに「足で進もう、足で進もう」とすると、全体のフォームが崩れて妙な動きになってしまう。こんな悪循環に陥りやすいんです。

手のかきとキックの比率は8対2か7対3

PART1で「手のかき3、キック7」と説明してきたので「おや?」と思うかもしれませんが、じつは、キックは大きく打てば打つほど、水の抵抗を受けにくいストリームラインからはずれてしまいます。

効率のよいキックでつけた推進力に手のかきの推進力を加え、1かきごとにストリームラインに近い形でスーッと伸びていく……。手のかきとキックに向ける意識の比率を逆転させるのは、そのために重要なことなんです。

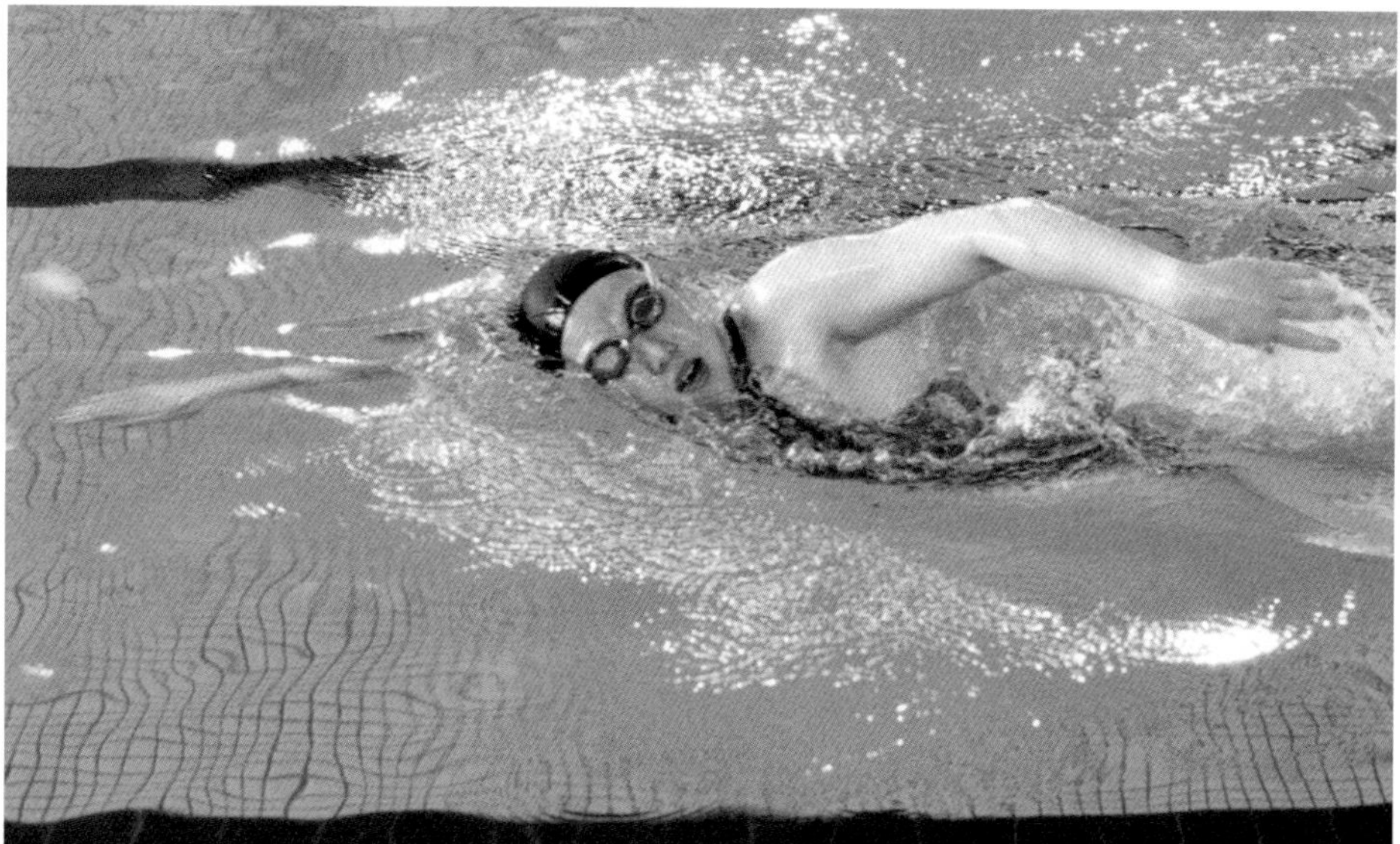

入水してすぐにかいてしまうクセが矯正できたら、徐々に左右の手をかくタイミングをずらしていこう

Takahashi's System of swimming the beautiful crawl

—美しい手のかき～その1—

クロールの手のかきをなめらかにしましょう。

まずはキャッチアップを思い出そう

かいた腕を前方で毎回そろえるのが、キャッチアップクロール（56ページ参照）ですが、これがなぜ有効なのでしょう。

自分のフォームを確認しながら泳げることや、カラダを自然に浮かせて、進む方向に体重を乗せられること、すぐにかこうとするクセを矯正できることなどがその理由です。

しかし、そのままでは1かきで進める距離が延びませんし、動きになめらかさが出ません。

キャッチアップから少しずつずらしていく

PART2では、ここからステップアップしていきましょう。

イアン・ソープの手のかきを再現してみよう。入水したらまず指先に体重を乗せて前にスーッと伸びる。左手でかき終えると同時に右手でかき始める。手やひじ、肩の使い方については、次ページ以降を参照

かき終えた右手を前にもどして伸ばしきる前に、伸ばしていた左腕の手の指先に体重を乗せながらかき始めます。

このように、かいていた手をもどして前に伸ばしていくタイミングと、もう一方の伸ばしていた手でかき始めるタイミングを、徐々にずらしていくのです。

最終的には、カヌーのパドルのように水を交互にかくイメージで、肩から交互に腕を回していきます。

かき終えた手を前に戻して入水させたら、指先に体重を乗せながらスーッと伸びていきましょう。この、前に伸びていく間《ま》のことを**ストレッチングタイム**といいます。

こうすれば水から受ける抵抗を減らせ、1かきで進む距離が延びるうえに、なめらかに美しく泳げます。

なるべく手に泡がつかないように、手に角度をつけて水を切る

Takahashi's System of swimming the beautiful crawl

—美しい手のかき〜その2—

手に角度をつけて入水しましょう。

人差し指から水を切るように

ここからは、手のかきをこまかく分けて解説していきます。

まずは、入水のしかた。これを「エントリー」といいます。

かき終えた手を前にもどしたら、水を切るように手に角度をつけて**人差し指から入水**します。

よく「手の入水角度は30度」といわれますが、とくにこだわる必要はありません。入水後、なるべく手に空気の泡がつかないように「水を切る」ことを意識してください。

また手の指は、力が抜けた自然な形から、入水後にスーッと閉じていきましょう。こうすることで、さらに手についた泡が逃げやすくなるんです。

水中の手をかくと同時に、逆側のかき終えた手をもどしてきた。指の力を抜き、自然に開いている（写真1〜2）。入水直前。このように、水を切るように手に角度をつけて人差し指からの入水を意識する（写真3）。入水直後。水を切るように手を入れたので、水しぶきはあまり上がっていない。入水後は指の間を閉じていき、前に伸びていく（写真4）

○

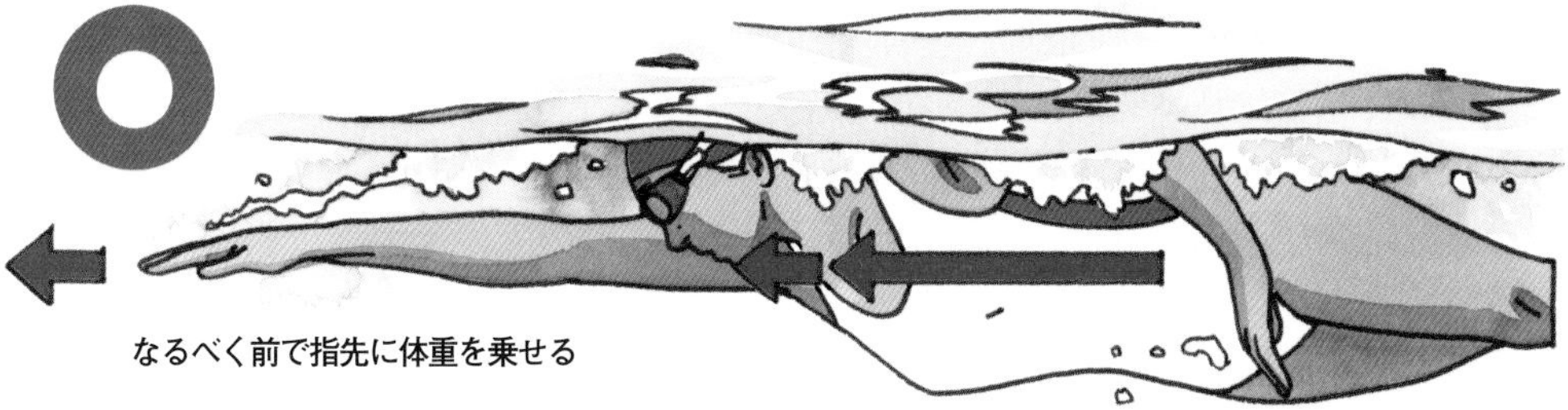

なるべく前で指先に体重を乗せる

×

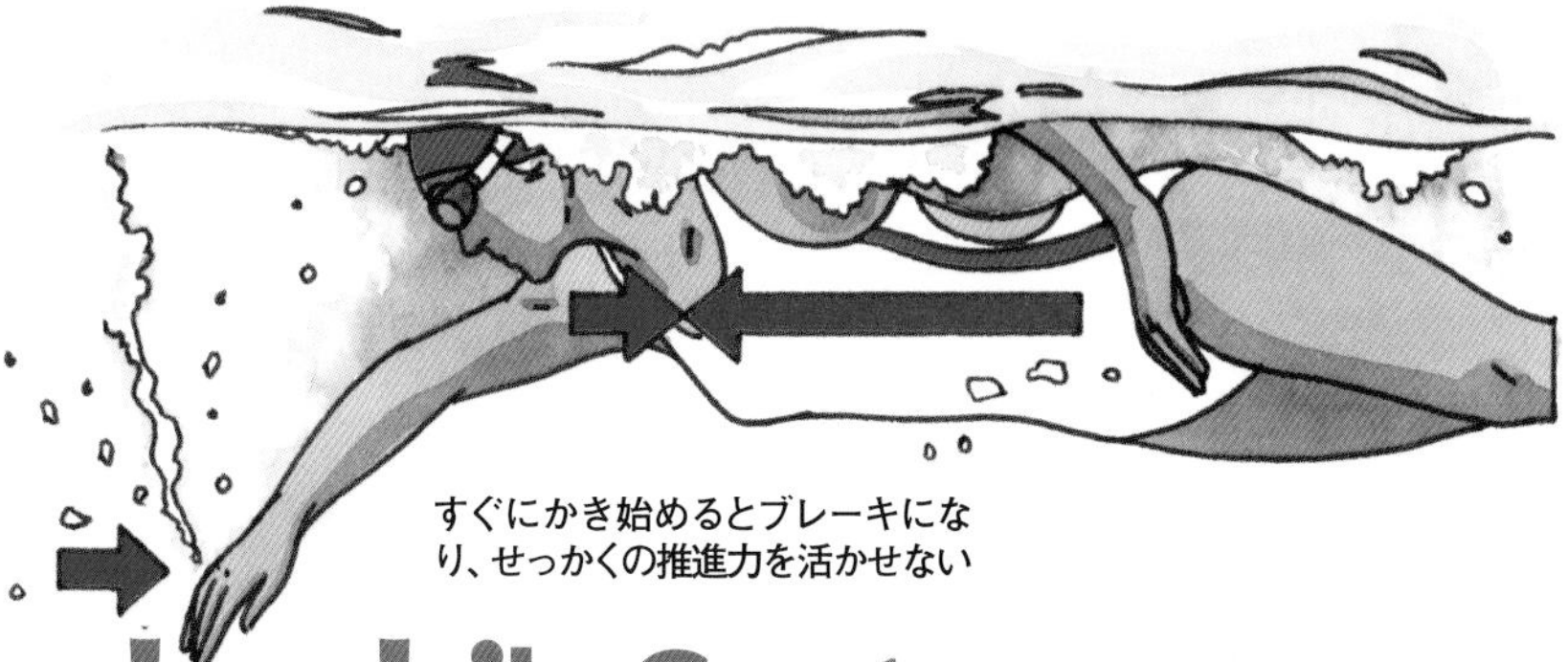

すぐにかき始めるとブレーキになり、せっかくの推進力を活かせない

Takahashi's System of swimming the beautiful crawl

—美しい手のかき～その3—

すぐにかき始めないで、手の泡をとりましょう。

水を切るように入れても、これだけの泡がついてくる

徐々に前へ伸ばしていく。この間、泡はついたまま

空気の泡がじゃまをする

78ページで「なるべく手に空気の泡をつけないために、水を切るように入水しよう」と述べましたが、いくらうまく入水してもある程度の泡はついてしまいます。

「別にかまわないだろう」と思う人もいるでしょうが、じつは手に空気の泡がついたままでは水をうまくかけません。

手で水をかこうとしても、泡がじゃまして、うまく水を捕らえられないのです。入浴時に浴槽へ逆さにした洗い桶《おけ》を沈め、傾けて泡が出たところをかいてみると実感できると思います。

入水後、水をうまく捕らえてかくには、まず空気の泡をとりましょう。

ストレッチングタイムのもう1つの効果

77ページで、入水後にストレッチングタイムをとることの効果について述べました。

指先に体重を乗せながら前にスーッと伸びていくことで、水の抵抗を減らせるうえに1かきで進む距離を長くできるというものですが、じつはこの間《ま》が、入水によってついた空気の泡を手からとる役割も果たしているのです。

下の連続写真を見れば、そのようすがよくわかると思います。

つまり、ストレッチングタイムをとることには、入水で手につく空気の泡をとって1かきの効率を増し、その1かきの推進力で効率よく進むという、2つの効果があるのです。

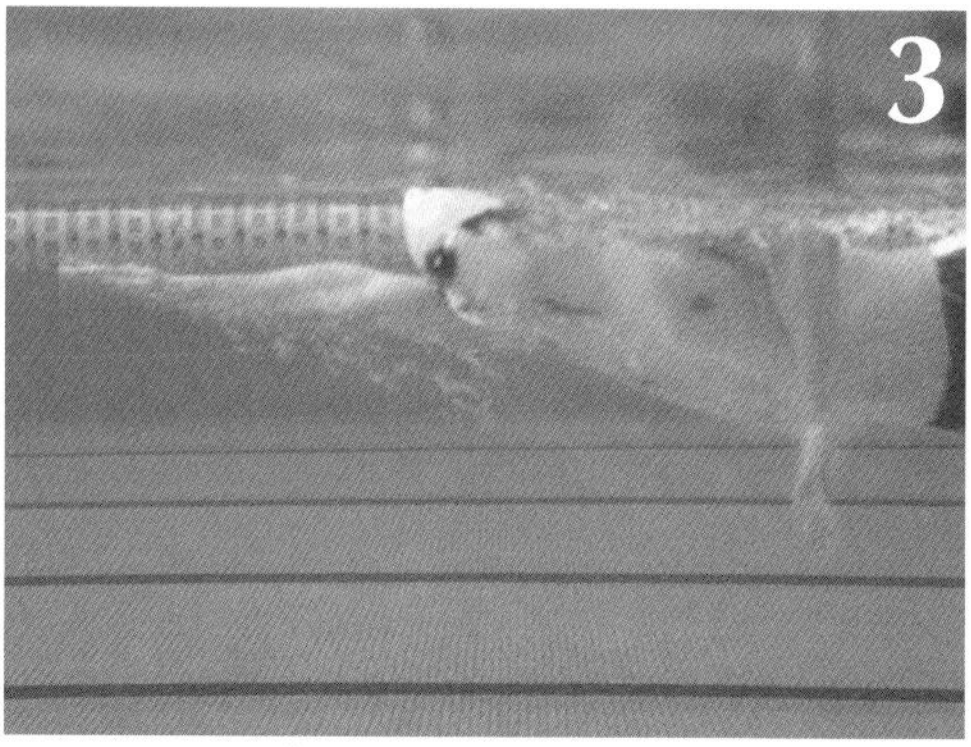

ストレッチングタイムをとることで、泡がとれてきた

泡がとれてからかくことで、水を確実に捕らえられる

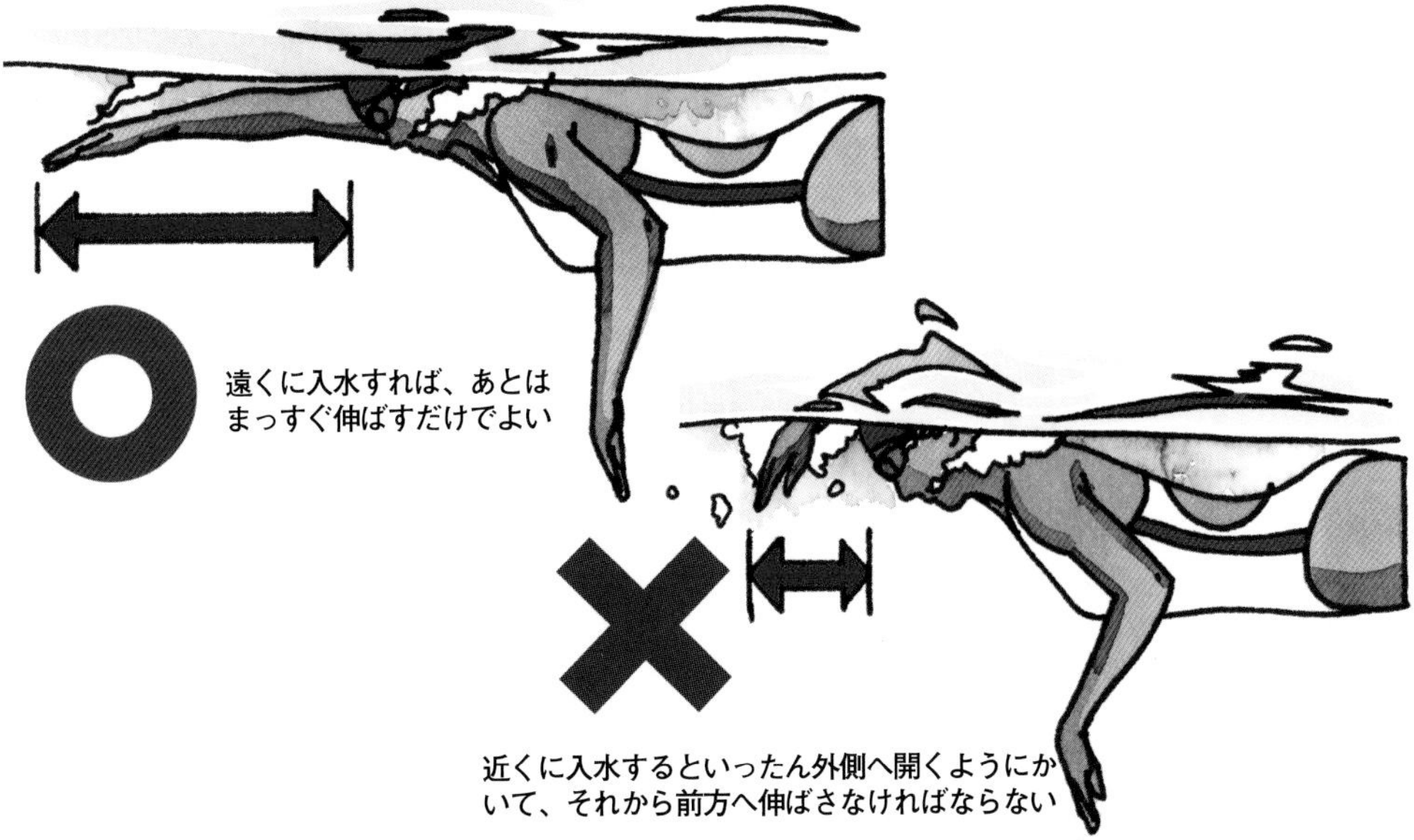

遠くに入水すれば、あとはまっすぐ伸ばすだけでよい
近くに入水するといったん外側へ開くようにかいて、それから前方へ伸ばさなければならない

Takahashi's System of swimming the beautiful crawl

—美しい手のかき～その4—

腕を長く使うと、泳ぎの効率がよくなるんです。

できるだけ遠くで入水する

入水するときは、顔の近くではなく、前方のなるべく遠いところからたくさんの水をかくために、腕を長く使いましょう。

早くかこうとあせって顔の近くに入水すると、抵抗の大きな水中で腕を前に伸ばさなければならなくなるので、体力と推進力のロスが大きくなります。あるいは、入水してすぐにうしろへかこうとすると、1回でかける水の量が少なくなり、大きな推進力が生まれません。

腕を長く使って遠くに入水すれば、あとはまっすぐスーッと伸びていくだけです。ここでストレッチングタイムをとれば力のロスなく進み、一度にたくさんの水をかけるのです。

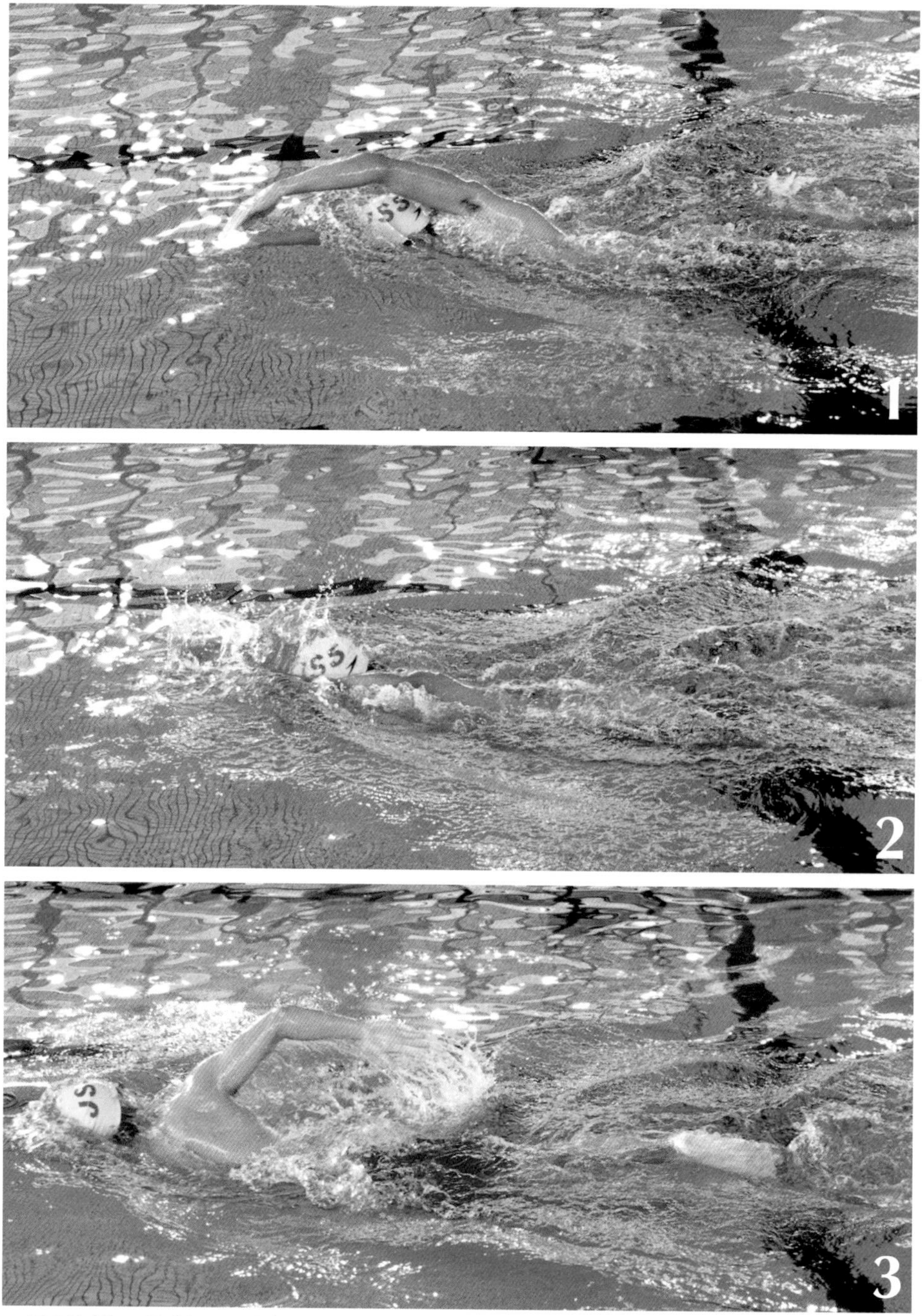

腕を長く使って入水し、まっすぐに伸ばし、さらにストレッチングタイムをとることで、効率よく進める

Takahashi's System
of swimming the beautiful crawl

―美しい手のかき～その5―

必死にかかずにカラダを前に進めるイメージです。

カラダ全体を前に進める

クロールできれいに泳ぐには、胴体（ボディコア）を前に進めるイメージが大切です。

両腕をいくらグルグル回しても、カラダそのものを前へ進める意識で水をかかないと、空回りするだけでうまく進めません。

きれいに泳ぐには、まず胴体を水面に浮く「サーフボード」とイメージしましょう。ストリームラインの姿勢と考えればわかりやすいと思います。

力まかせのキックや手のかきは、それ自体が水の抵抗となりやすいので、必要ありません。やわらかい身のこなしでリラックスして水に乗る、優雅な泳ぎを心がけましょう。

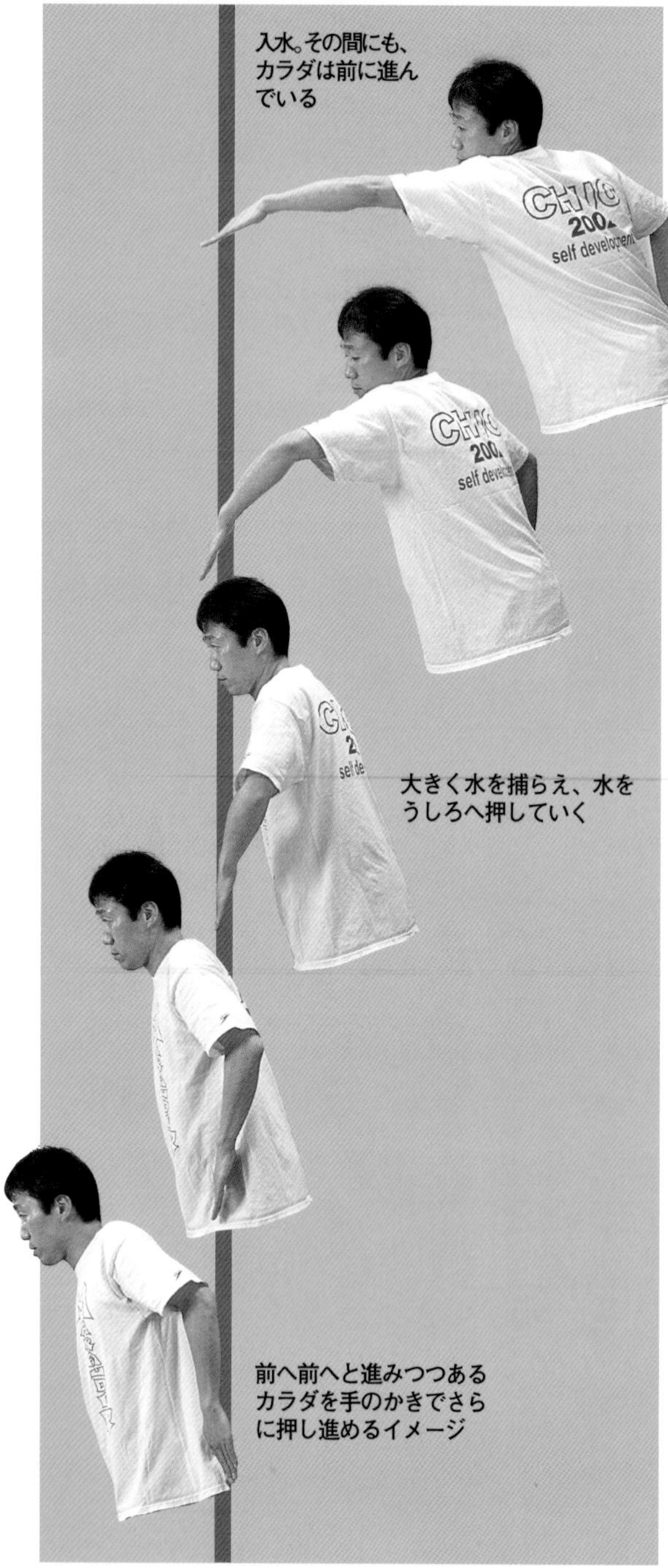
入水。その間にも、
カラダは前に進ん
でいる
大きく水を捕らえ、水を
うしろへ押していく
前へ前へと進みつつある
カラダを手のかきでさら
に押し進めるイメージ

手のかきでカラダの前進を助ける

ＰＡＲＴ1で紹介した練習を実践するなどでキックのコツをつかめた人は、安定したキックを打てているはずです。「ズン、タッタッ　ズン、タッタッ」のリズム（28ページ参照）で、カラダは十分に水に浮いて、前進しようとしていますから安心してください。

グルグル、バシャバシャと腕を回し続ける必要はないのです。水に浮き、安定して進んでいるサーフボードの上に腹ばいになって、パドリング（イラスト参照）するようなイメージで手をかきましょう。

力を入れて必死にかくのは逆効果です。落ちついてかいてください。ゆったりとした優雅な手のかきが、1かきで進む距離を延ばすんです。

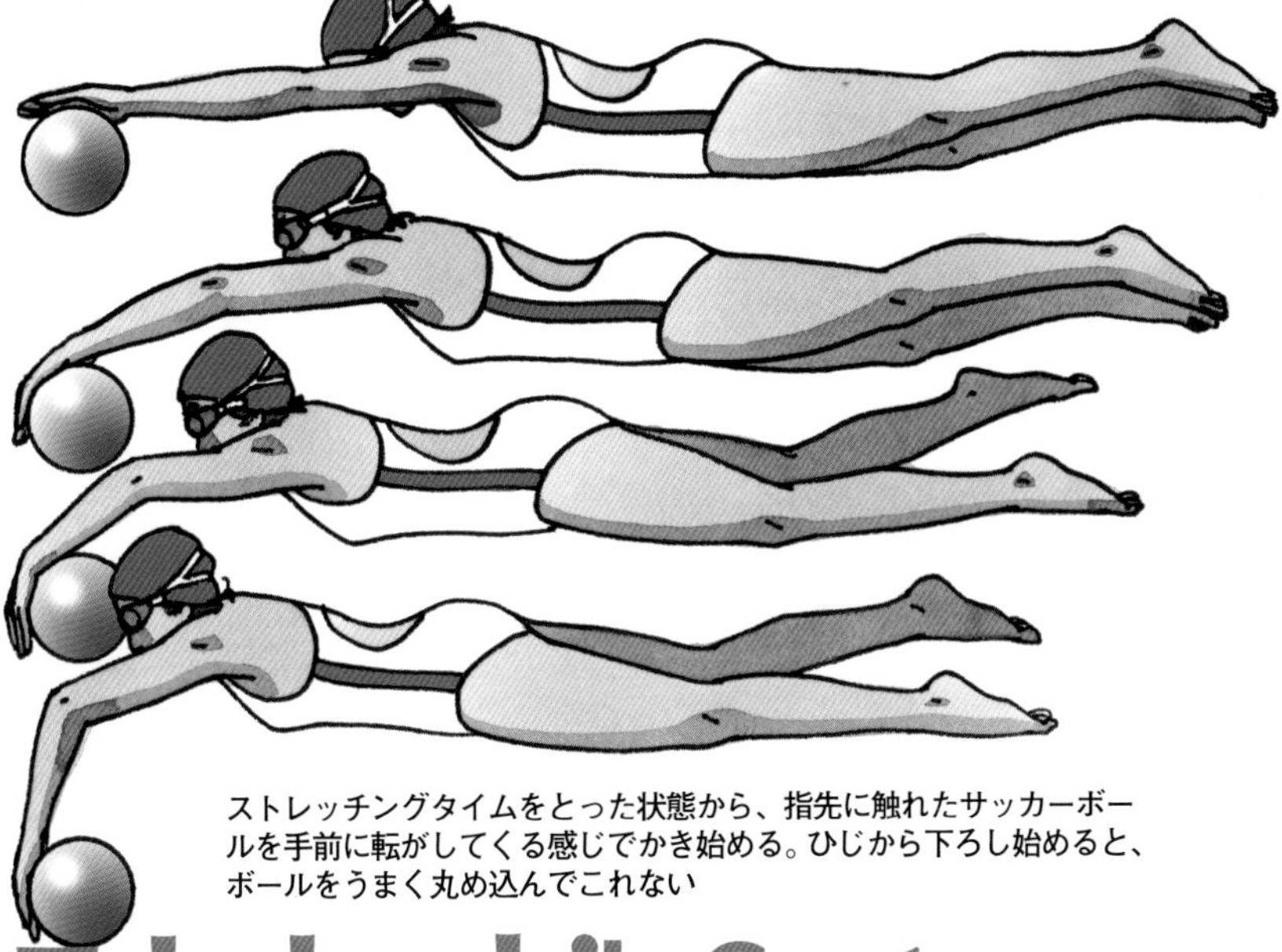

ストレッチングタイムをとった状態から、指先に触れたサッカーボールを手前に転がしてくる感じでかき始める。ひじから下ろし始めると、ボールをうまく丸め込んでこれない

Takahashi's System
of swimming the beautiful crawl

—美しい手のかき～その6—

ひじをちょっと残せば水を多くかけるんです。

かき始めは ひじを残すように

優雅に泳ぐには、受ける水の抵抗を減らすことと、大きな推進力を得ること、つまり、カラダが進もうとする力をなるべく活かすことが大切です。

手に角度をつけて水を切るように入水したあとは、腕をひと伸びさせてからカラダの下をかきますが、かき始めに**ひじをちょっと残す**ようなイメージを持ちましょう。この感覚がつかめると、水を多く楽にかけます。

たとえば腕をまっすぐにしたまま水をかくと、水底の方向にも水を動かすのでムダが出るうえに、非常に大きな力がないとかけません。

また、ひじを曲げすぎると水に力

悪い例—ひじを残さないかき

よい例—ひじを残すかき

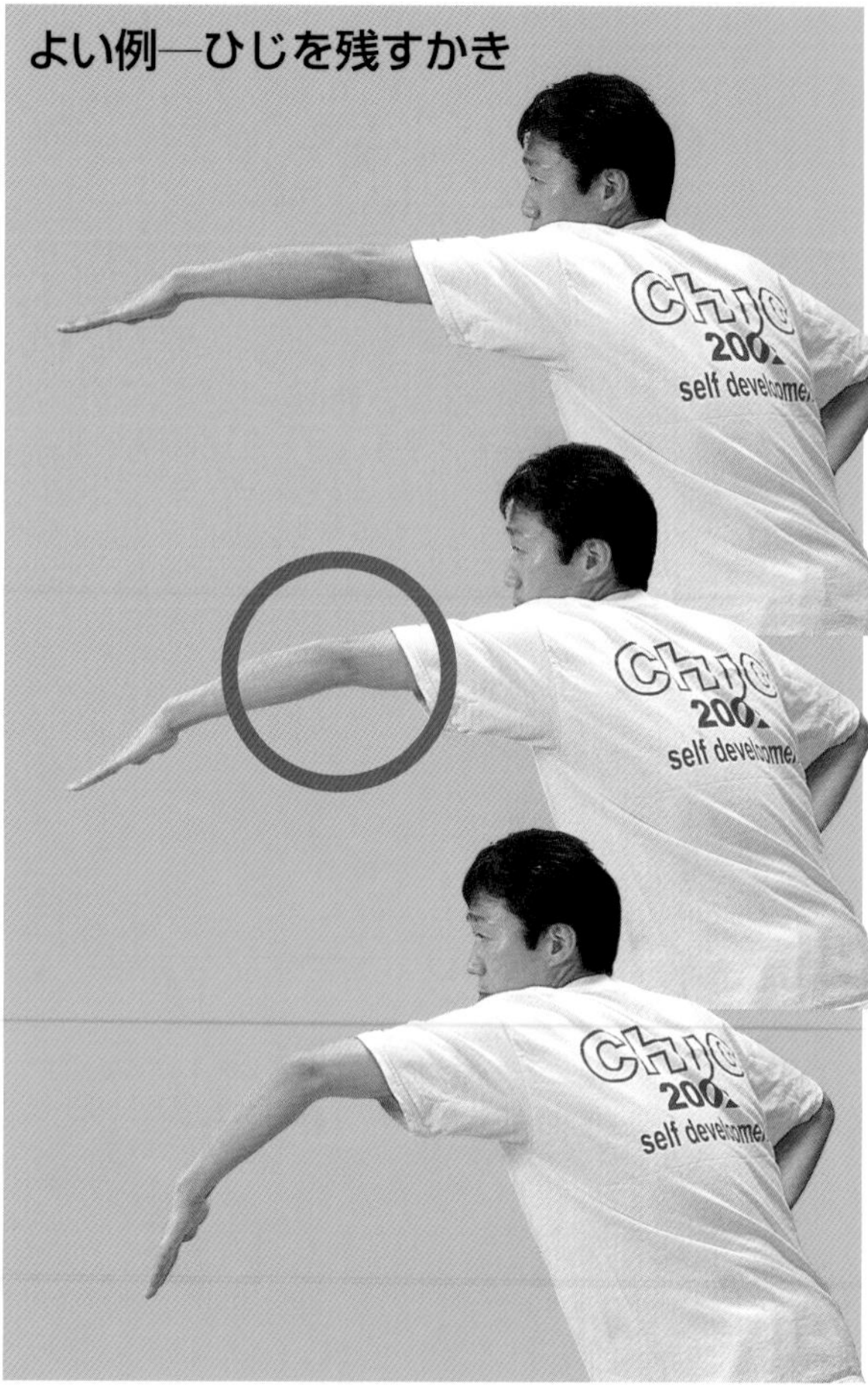

手先を軽く丸め込み、サッカーボールを転がす感じで水をかく。水を大きなボールだとイメージして、腕全体でうしろへ転がす

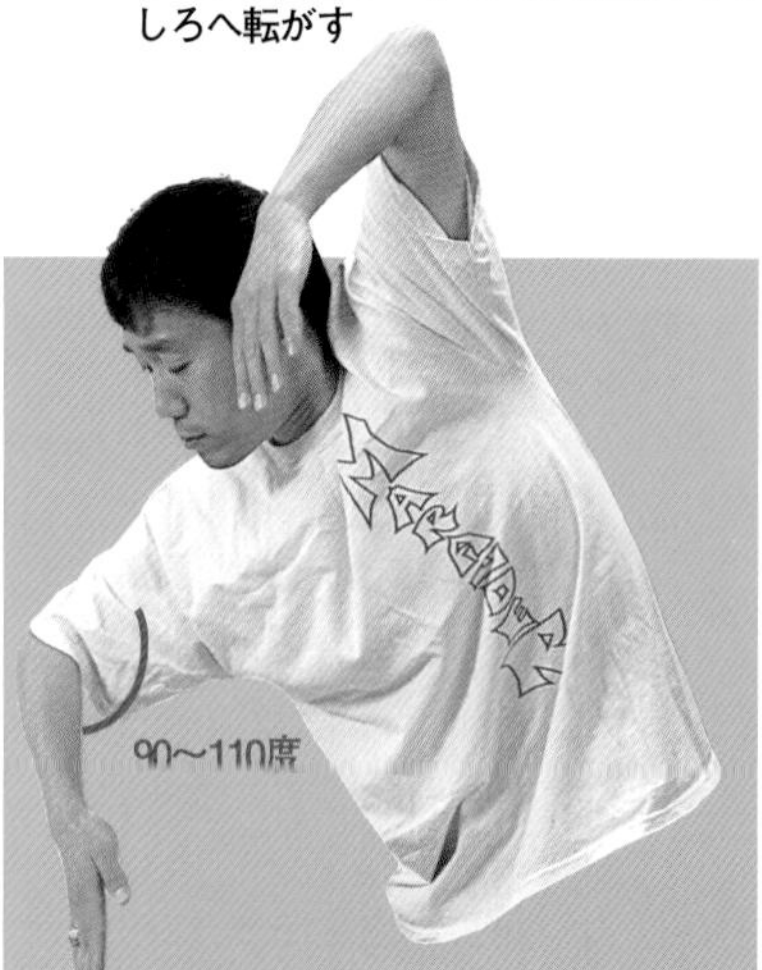

が伝わりにくくなり、うまく進めなくなります。

大きなボールを包み込む感じで

かき始めにちょっと残したひじは、水をつかんだあとで少し曲げましょう。ちょうど顔の下にきたときの角度は、少し広めにして90〜110度くらいです。それぐらいの角度に曲げてカラダの下をかくと力が入りやすく、泳ぎも安定します。

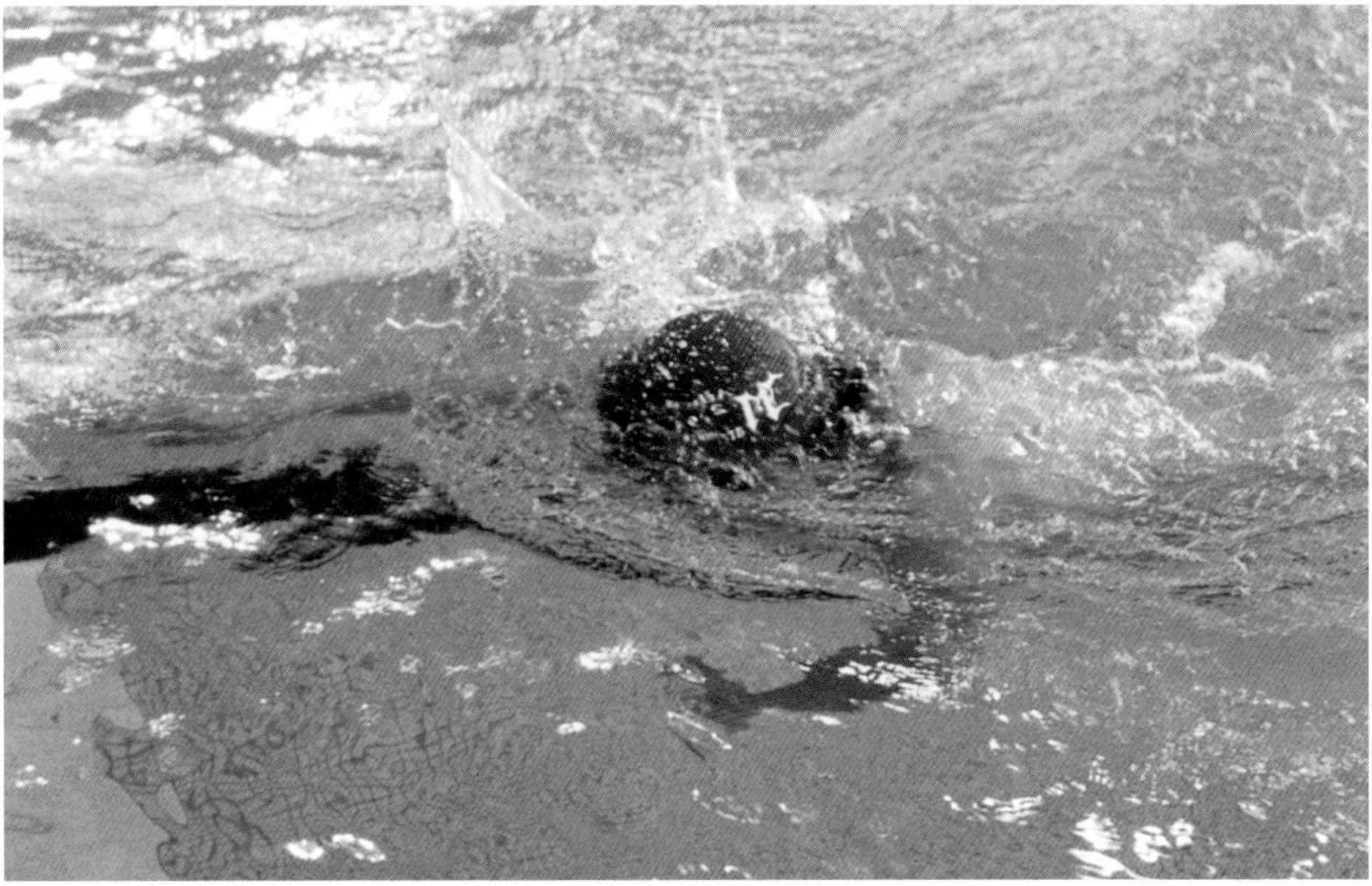

Takahashi's System
of swimming the beautiful crawl

—美しい手のかき～その7—

スリムでスマートなS字をそっと描きましょう。

水中では手がS字を描く

入水して腕を伸ばしたら、ひじをちょっと残して水をサッカーボールを転がすように捕らえ、押し出すようにカラダの下をかく——。この水面下での一連の動作を〝ストローク〟といいます。

その動きで理想とされているのが、スリムでスマートなS字を描くストロークです。

「S字を描く」と言われると、カラダの下で大きくくねったS字を描こうとする人や、水をこね回してしまう人がいますが、そうではありません。

まっすぐに動かすつもりで手をかいても、水の抵抗によって手の通る軌道が自然にゆるやかなSの字を描いてしまう……。そんな感じです。

ゆったりきれいに泳ぐには、カラダを浮かせるための「揚力」が生まれるように、スリムでスマートなS字をそっと描くとよい

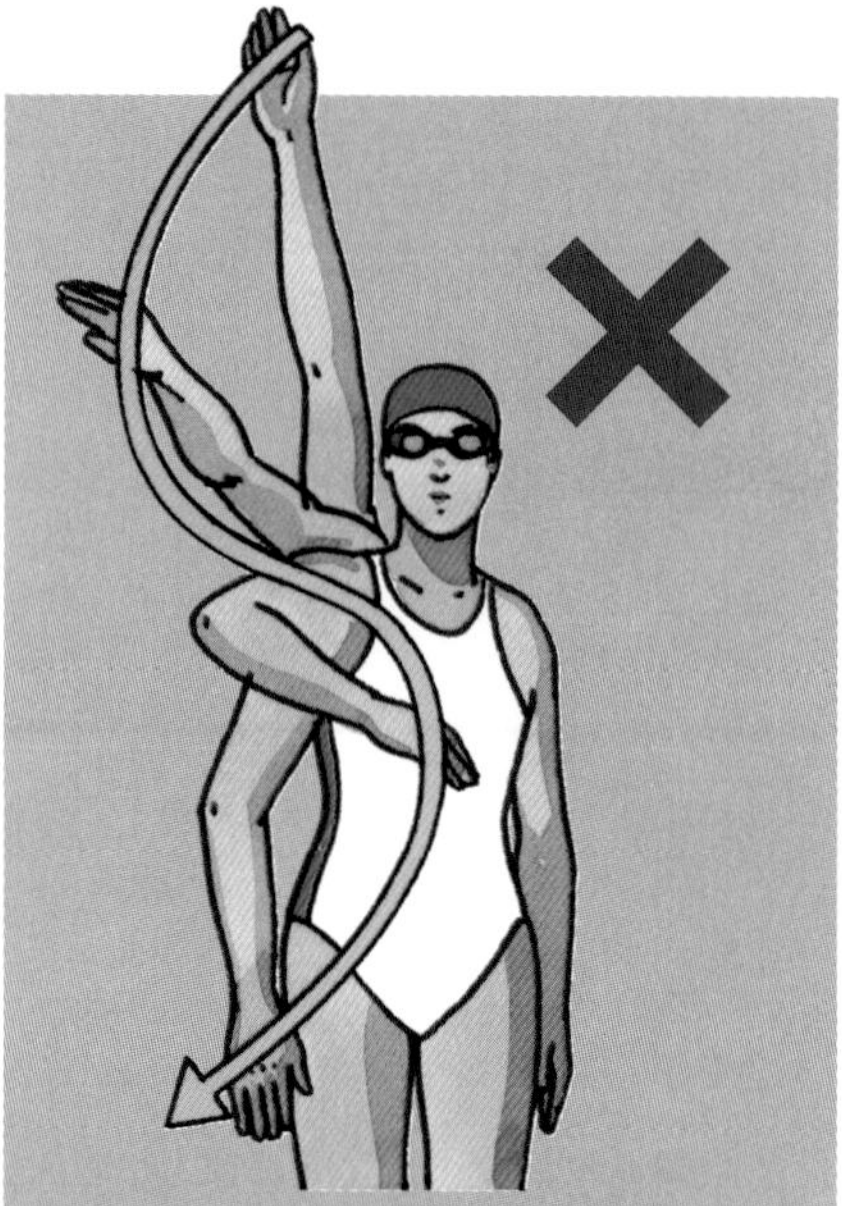

このように意識してS字を描いてはいけない。左の写真のような軌道がベスト

ビート板を沈めると、まっすぐではなく、ジグザグに浮かんでくる。これと同じように、まっすぐ水をかけば、自然なS字になる

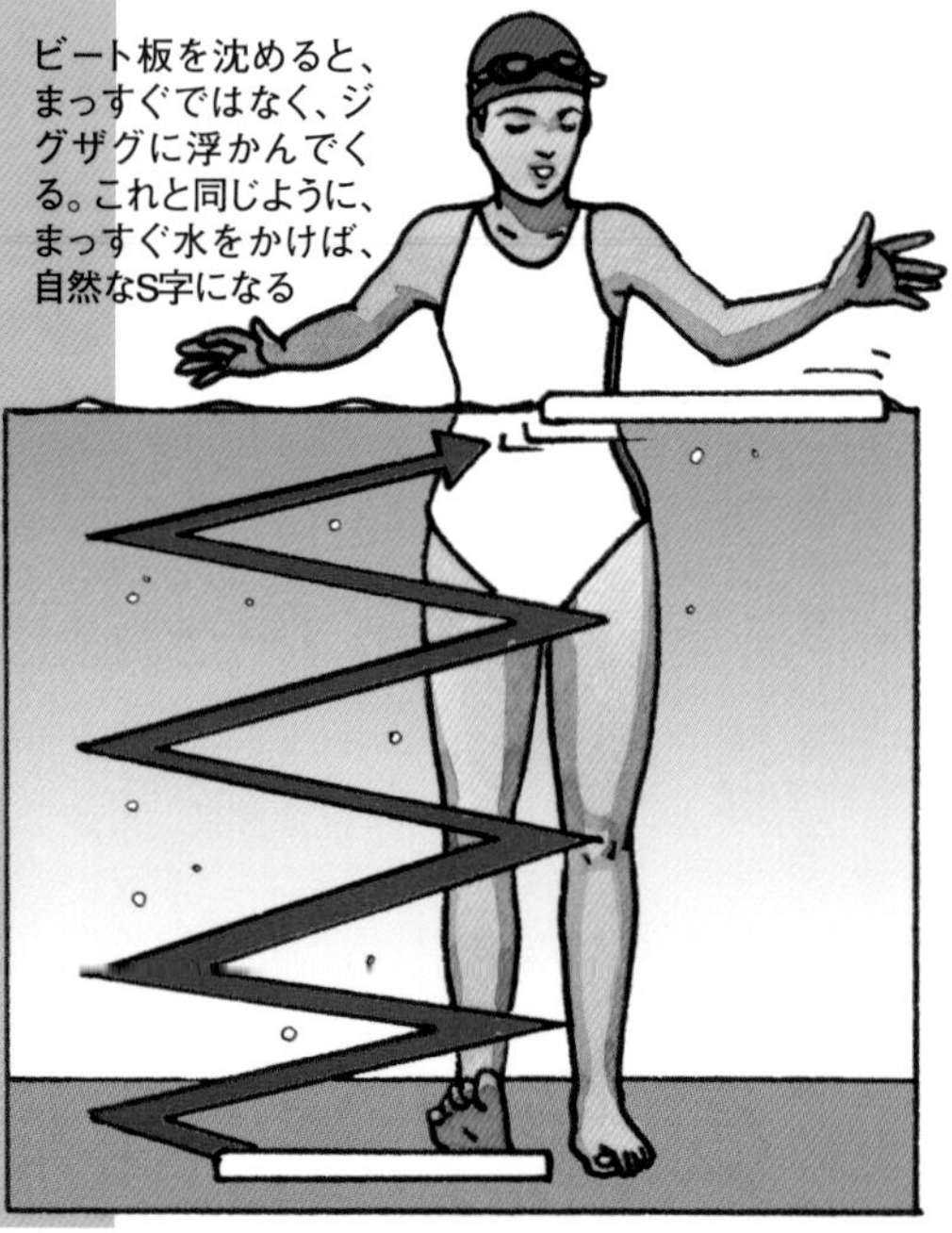

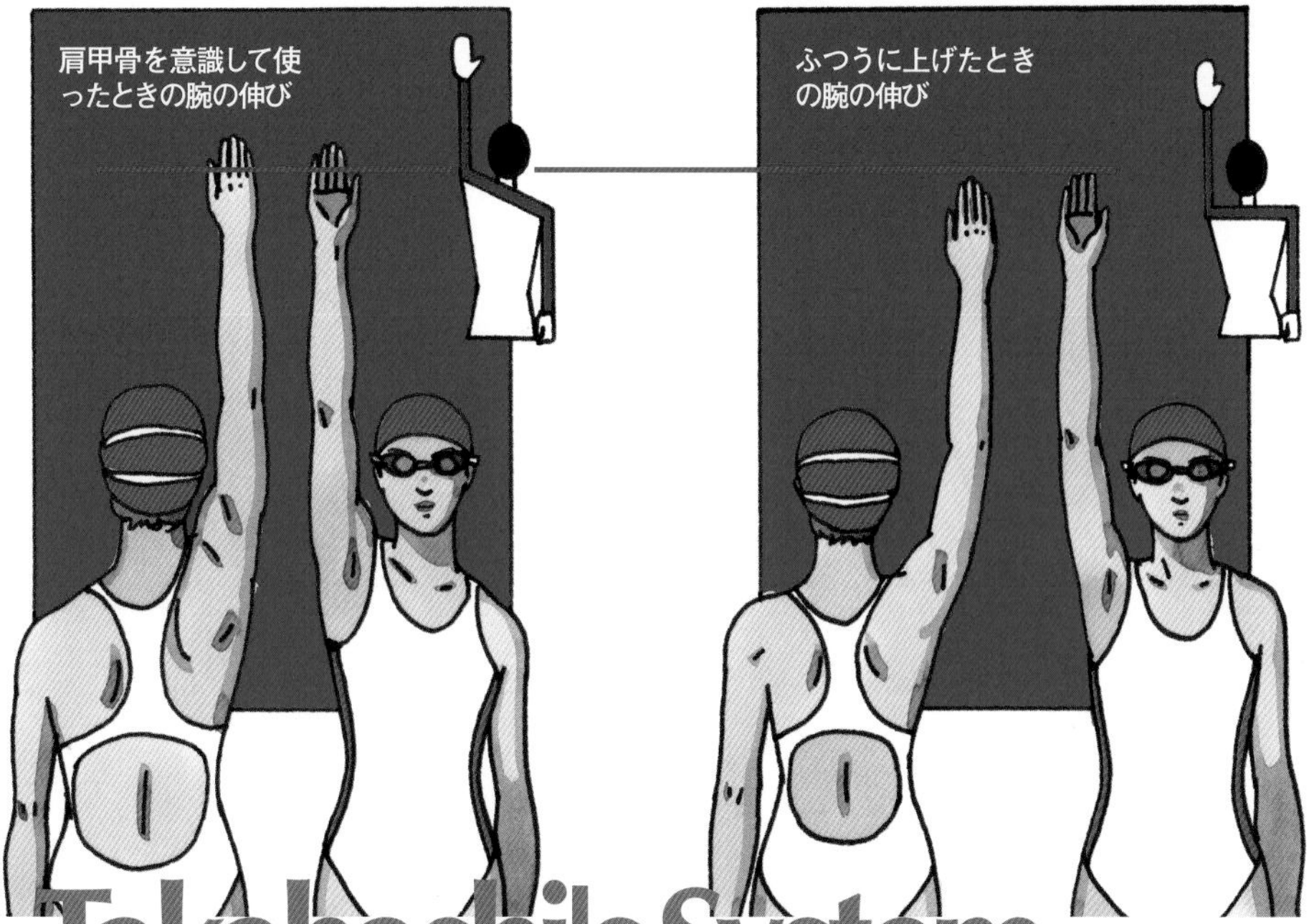

Takahashi's System of swimming the beautiful crawl

—美しい手のかき～その8—

ストロークを伸ばすために肩甲骨を使いましょう。

前へ進むために より遠くの水をつかむ

手や足をいくら速く動かしても、水をうまく捕らえて胴体を進めなければ前進はしません。

そのためには、近くの水をつかんで進むよりも、なるべく遠くの水をつかんだほうが、ストロークが長くなって泳ぎの効率もよくなります。

より遠くの水をつかむために、腕の長さを伸ばしてください。「腕の長さは決まっているんだから、そんなのムリだ」と思うかもしれませんが、クロールで泳ぐときにはそれができるんです。

あなたの腕は まだまだ伸びる！

まず、肩のうしろにある大きな骨、

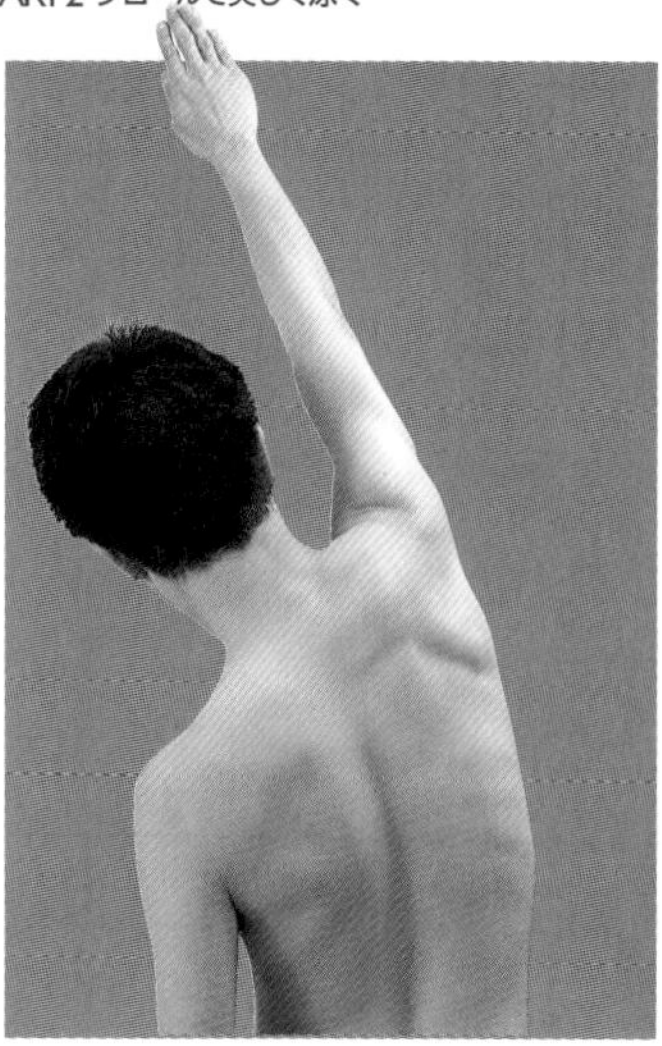

いくら肩甲骨を使っていても、このように背筋が曲がっていては意味がない

肩甲骨を使わないで伸ばしたとき（上）と肩甲骨を使って伸ばしたとき（下）

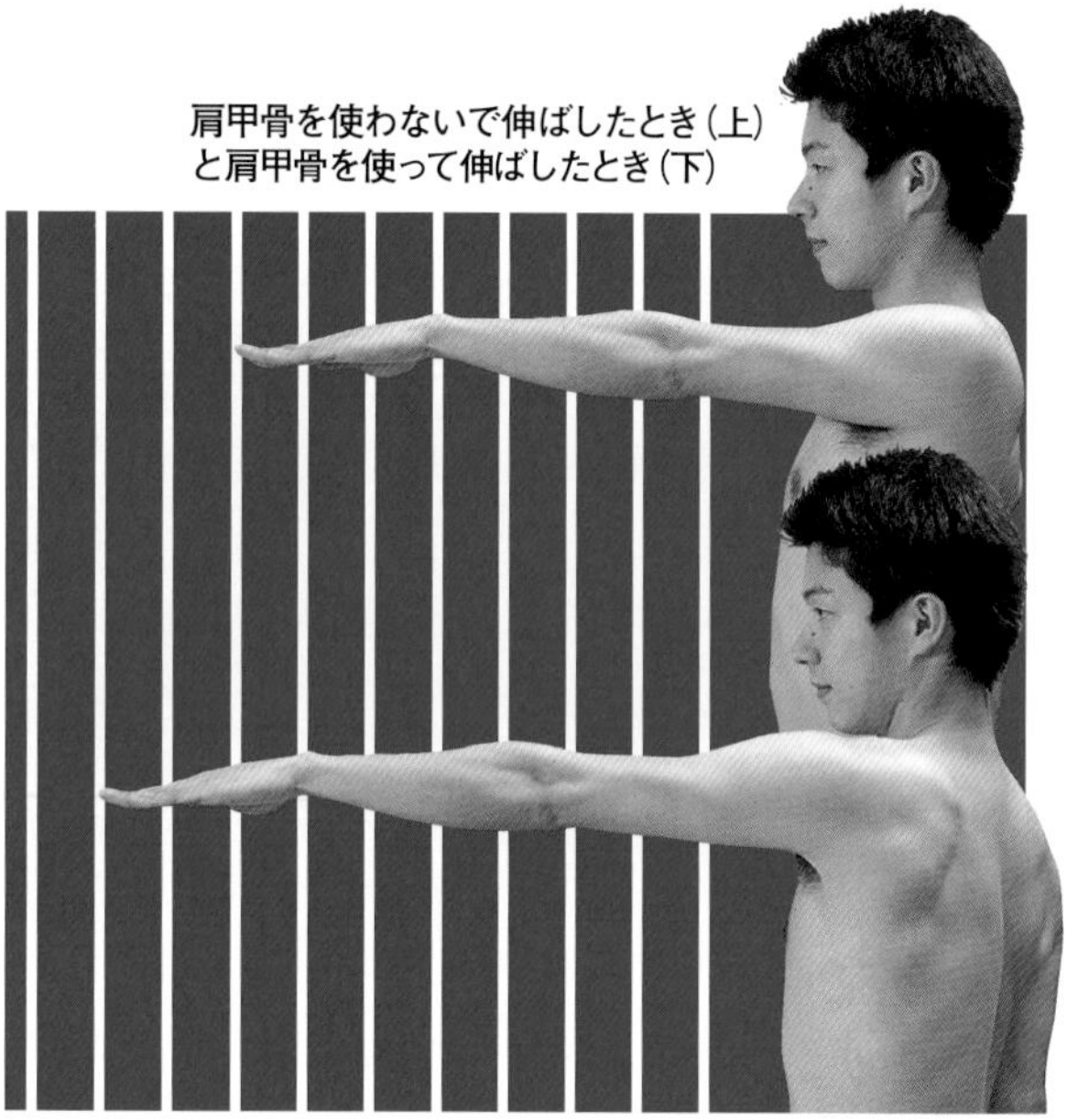

肩甲骨を意識して、腕をその肩甲骨から伸ばすようにイメージしてみましょう。水に浮いた状態でいえば、前に伸ばした腕を肩甲骨ごともうひと伸びさせて、逆側の肩甲骨を下げる感じです。

肩甲骨の使い方がうまくなると、1かきでのストロークもかなり伸びます。伸びたぶん大きな泳ぎをして、ゆったり優雅に、さらに遠くの水へと手を伸ばして、指先に体重を乗せましょう。

もちろんストレッチングタイムもさらにとれることになるので、空気の泡を逃がす時間や手先に体重を乗せる時間にもっと余裕ができます。

もっと遠く、もっと遠く……とイメージして肩甲骨を「活躍」させれば、信じられないくらいスイスイとカラダを進めることができます。

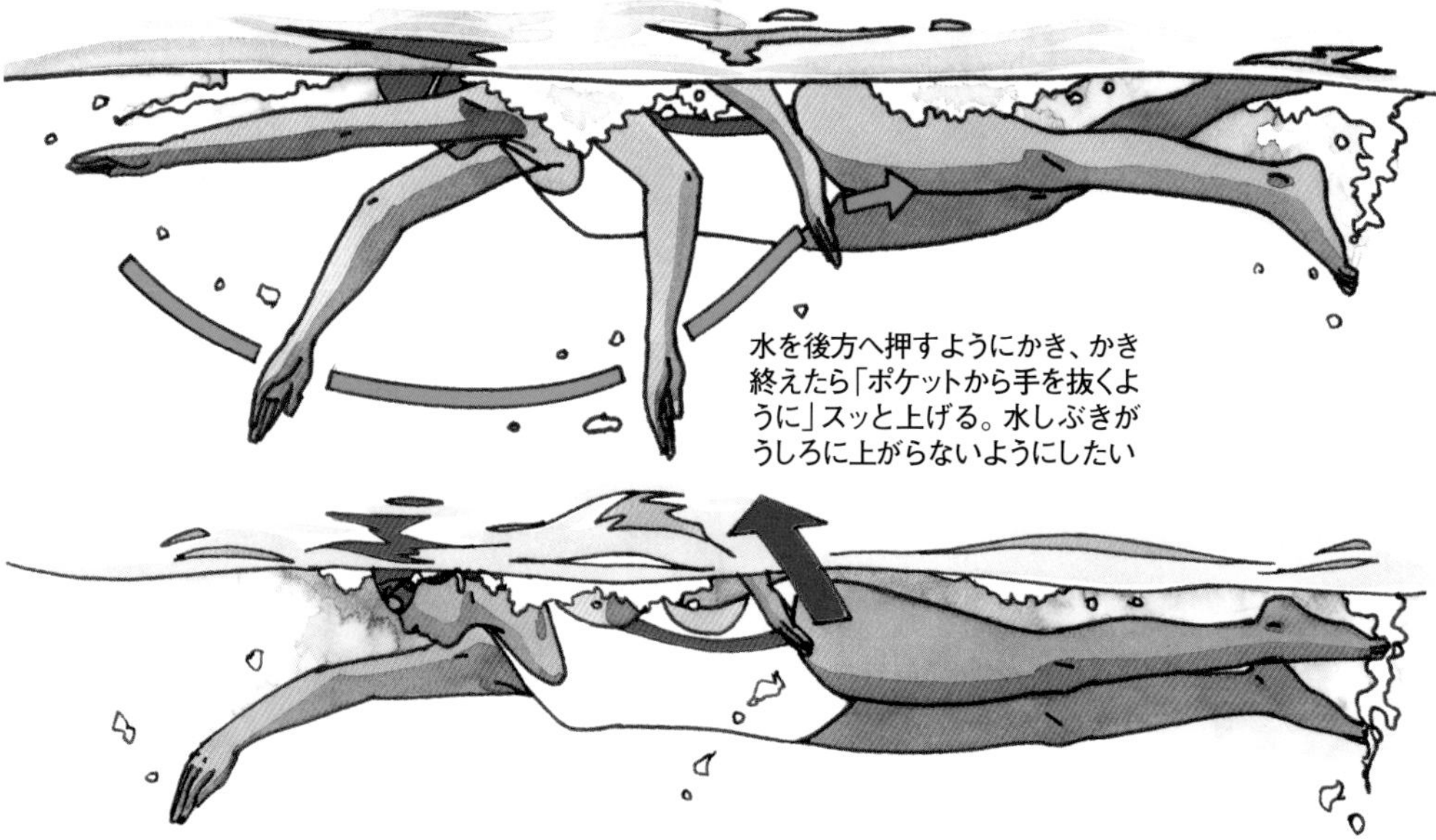

水を後方へ押すようにかき、かき
終えたら「ポケットから手を抜くよ
うに」スッと上げる。水しぶきが
うしろに上がらないようにしたい

Takahashi's System
of swimming the beautiful crawl

—美しい手のかき～その9—

かき終えた手は、スッと抜いて上げましょう。

ひじの動きでスッと抜く

水中でかき終えたところ。ここから手を抜いていく

ハイエルボーの2つのメリット

水中をかく軌道は「カラダの下」とだけ意識すれば十分です。「向きは」「スピードは」「力は」などとむずかしく考える必要はありません。

かき終えた手を水中から抜いて前にもどす動作を、リカバリーといいますが、その際には「ひじを高く上げて、ハイエルボーにしましょう」とよくいわれます。

ハイエルボーにするメリットは2つあります。1つは、腕を伸ばしたまま大きく空中で回すより、折りたたんでコンパクトに動かすほうがよけいな力を使わずにすむこと。もう1つは、腕を大きく回すことによるカラダの中心軸のブレを抑えられることです。

自然にエルボーアップできればOK

ただ、うまい人の泳ぎを見ると、すべての人のひじがハイエルボーになっているわけではないようです。

水をかき終えたら手を水からスッと抜き、ひじから先の力を抜いて親指を下に向け、体側（カラダの横のライン）に沿って前方にもどしていけば十分です。これなら自然にひじの位置が上がって、ハイエルボーのメリットが得られます。

ムリに空中でハイエルボーをつくろうとする必要はありません。僕にとってもハイエルボーはむずかしいテクニックです。

あまり意識しすぎると、水中でのかきがおろそかになるので、あくまでもシンプルに動かしましょう。

親指は下向き。ひじから先の力を抜いて前にもどす

リキんでエルボーアップしていないことがよくわかる

水の抵抗を受ければ、そのぶんだけ
カラダの推進力は落ちることになる

Takahashi's System
of swimming the beautiful crawl

—美しい手のかき～その10—

1かきごとに抵抗の少ない姿勢を意識しましょう。

ストレッチングタイムで疲れ知らず

カラダをまっすぐにすることが、きれいなクロールの基本です。クネクネしないために、つねにカラダを安定させましょう。

まっすぐなサーフボードやロケットをイメージすれば、手のかきを終えたあと、ストレッチングタイムの姿勢へとスムーズに移れます。

ストリームラインは、水から受ける抵抗がもっとも少ない、推進力をいちばん活かせる姿勢ですが、それに近い姿勢が手のかきのあとに保てるようになれば、同じ距離を進むためのストローク数をこれまでより減らせます。

まず推進力を得たら、それを活かすために水から受ける抵抗を減らす

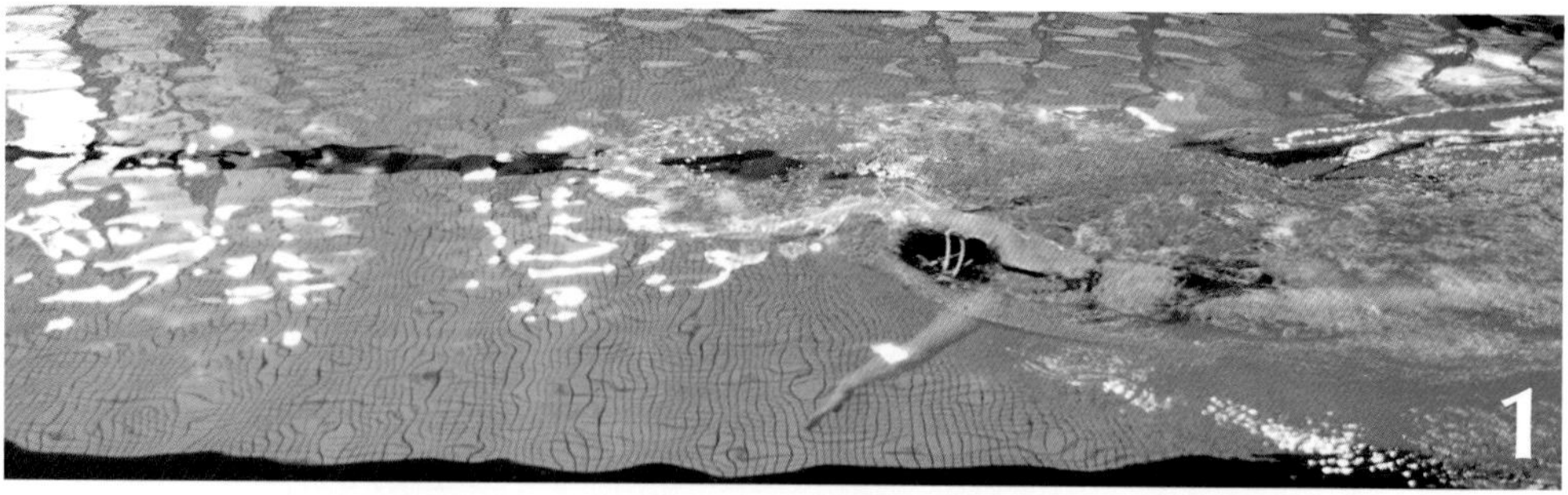

かき終えたら、ストレッチングタイムをとって、スーッと前に伸びていく

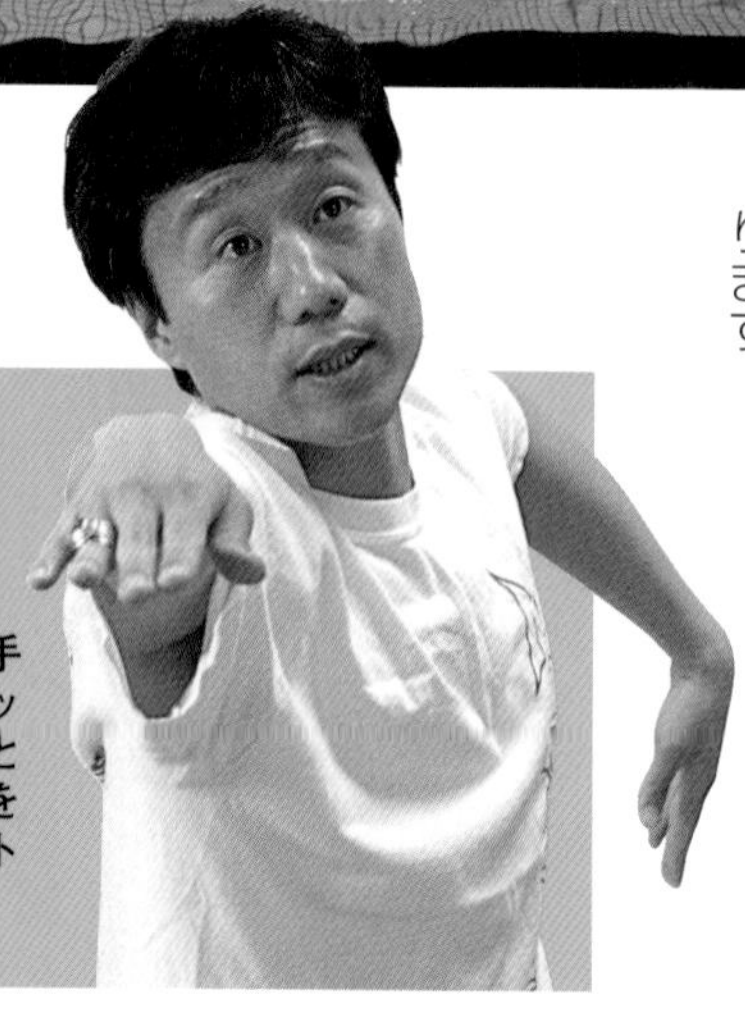

たとえば左手でかいたら、右手の指先に体重を乗せてスーッと伸びていく。この「スーッと伸びていく感覚」がムダな力を使わず、きれいに泳ぐポイント

姿勢をつくって、ストレッチングタイムをとります。

ムダな力を使わずにストローク数も少なくなる……これができれば、クロールはこんなに快適で疲れない泳ぎ方だったのかと思えるようになります。

ムリに上げようとしなくても、耳を肩に乗せるイメージをもてば、口は水面に出る

Takahashi's System of swimming the beautiful crawl

—美しい呼吸〜その1—

耳を肩に乗せるイメージで、楽に呼吸しましょう。

呼吸の動作は楽にシンプルに

楽な呼吸は、コツとタイミングさえつかめば全然むずかしくありません。タイミングは、**かき始めた手が顔の手前にきたら顔をひねり始める**と考えてください。

「パッ、ハァ、ンッ」の口呼吸は、伸ばした側の肩の上に顔の横（耳）を乗せるイメージでやれば楽ですし、動きも小さくなります。

楽な呼吸をするのに特別なことは必要ありません。むずかしく考えないほうができるようになるんです。それと大切なのは、左右1かきにつき1回呼吸することです。

シンプルな動きがいちばんきれいです。美しく優雅に泳ぐために、シンプルな呼吸を心がけましょう。

1
基本どおりに「パッ」と息を吐き、
「ハァ」と吸い込めばよい

2
「ンッ」と口を閉じて再び入水

3
ここからしばらくは息を止めて
おく。肺を浮き袋にするためだ

全部の空気を交換する必要はない（陸上でもむずかしい）。8割程度とイメージしたほうが、かえってカラダに負担がかからない

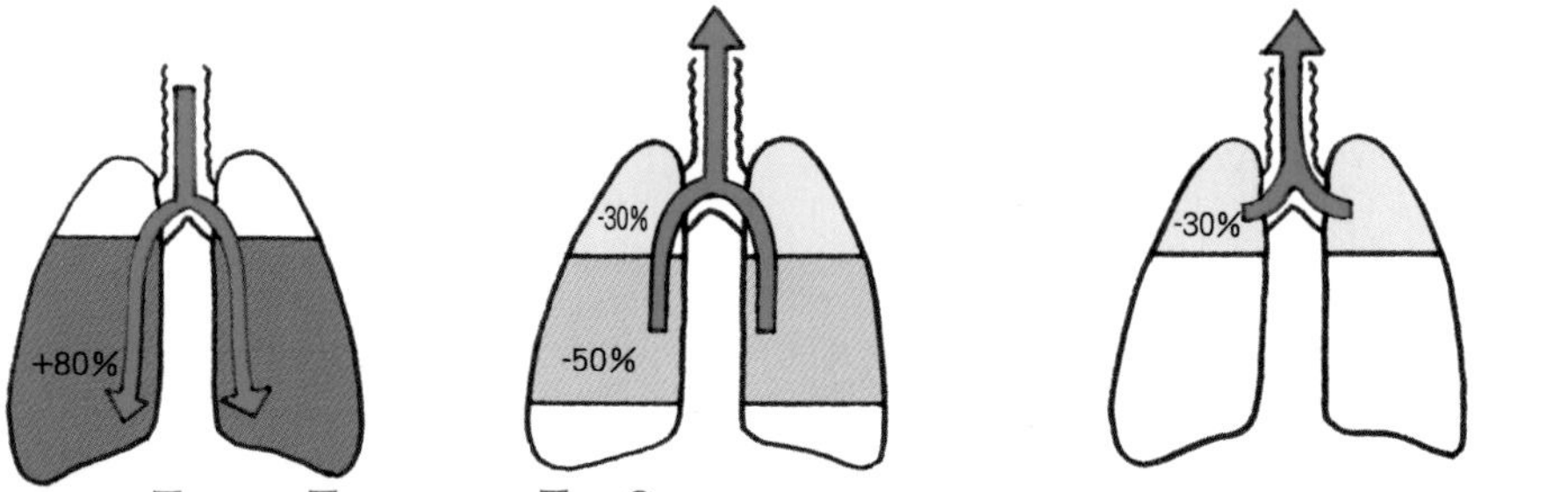

Takahashi's System
of swimming the beautiful crawl

―美しい呼吸～その2―

80%吸って、80%吐けば十分です。

鼻から吐き出すのは、肺の空気の3割程度をイメージ

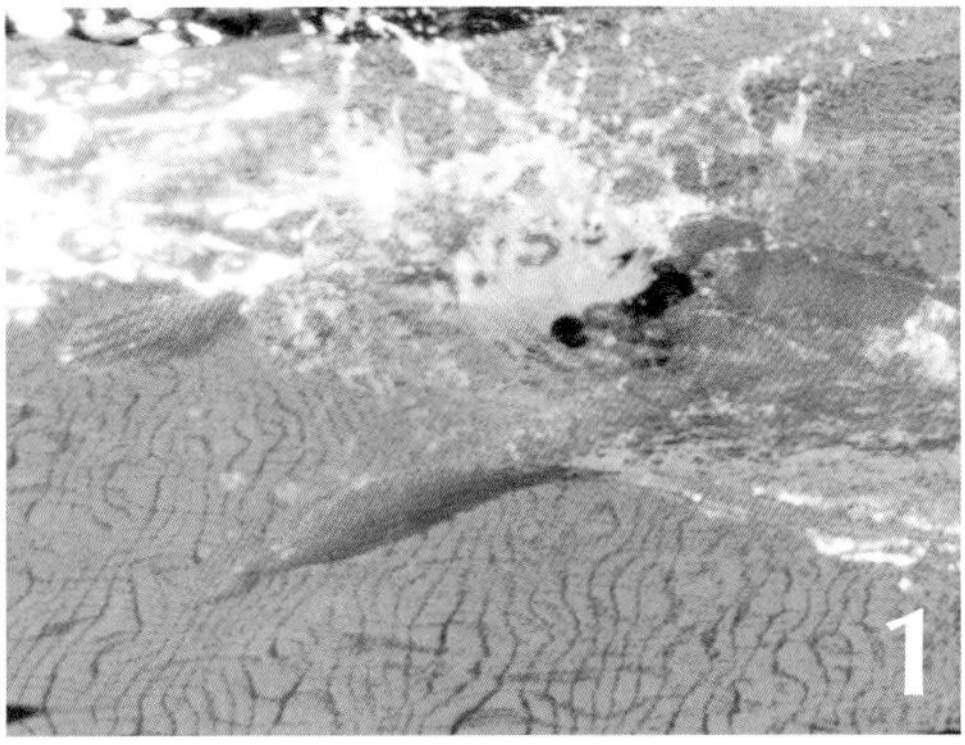

かき手がこのあたりにきたら、鼻から少しずつ吐く

水中のかき手が顔の手前にきたところで、鼻から吐き始める

鼻も使った呼吸法を覚えよう

うまく浮いて美しく泳ぎ続けられる人は、より多くの酸素をカラダ中にめぐらせるために、肺の空気の交換量を多くしています。

ここでは美しく泳ぎ続けるために〝吐く、吸う、止める〟の口呼吸から、少しレベルアップしましょう。

水中で、鼻から少しずつ息を吐いて、顔を水から出すときに口でパッと吐き、**顔の横（耳）を肩に乗せて**大きく口で吸います。

間違えやすいのは、水中で鼻からブクブクと吐ききり、顔を水から出したとたん、大きく深く吸い込もうとすることです。吐ききるとカラダが沈んでしまうため、呼吸時に水を飲んでしまいかねません。

ですから水中では、かき手が顔の下あたりを通るタイミングで鼻から穏やかに吐き始めて3割ほど出し、顔を水上に出して5割ほど口からパッと吐きましょう。

パッと大きく吐けば、「吸おう吸おう」と思わなくても、カラダが自然に吸ってくれます。

「パッ」で5割吐き、「ハァ」で8割（3+5）吸う

「ンッ」と口を閉じて肺を浮き袋にする

「パッ」と息を吐くことで一瞬、口の周りに空間ができる。そこで吸えば水を飲むことはない。ただし、口を大きく開けると水が入りやすいので注意

Takahashi's System of swimming the beautiful crawl

—美しい呼吸〜その3—

すばやい息つぎが泳ぎを速く見せるんです。

効率のよい呼吸は泳ぎを安定させる

水中で鼻から息を少しずつ吐けるようになってくると、呼吸そのものが安定してきます。

効率のよい呼吸をくり返すと、泳ぎのリズムが一定になるので、泳ぎそのものが、優雅なのに速く見えるようになります。

顔半分だけ上げて行うハイレベルな呼吸

次に、より上級クラスをめざす人のために、さらなるテクニックをプラスします。

99ページで紹介した、呼吸で耳を肩に乗せる動作のときに、顔半分だけ水の上に出すようにするんです。

頭を寝かせて顔半分、口半分だけ

初級者の呼吸　　上級者の呼吸

PART1では、手のかきと呼吸のタイミングを身につけることと、上体の使い方を体得してもらうために、大きく上体を起こす呼吸法を紹介した。しかし、それでは美しい泳ぎの妨げになるため、顔を半分だけ上げて行うすばやい息つぎを身につけよう

で呼吸するようにすれば、カラダの中心軸が安定します。

前へ前へと進もうとする動きの妨げとなる横方向の動きである「息つぎの動作」が、これで最小限に抑えられるのです。

また、これでは水を飲んでしまうのではないか？　と心配する人もいると思いますが、顔半分を上げたところで鋭く「パッ」と吐けば一瞬、右上の写真のように口の周りの水がどけられます。その間にすばやく吸えば、水を飲まずにすむでしょう。

この呼吸が左右どちらでもできるようになれば、左右対称の美しい泳ぎになります。

左右交互に呼吸するには、3回かいて顔を1回上げればよいのです。

さあ、より美しい泳ぎにチャレンジしてみましょう。

カンタンに覚えられるタッチターン。競技者でなければ、このターンだけでも十分

Takahashi's System
of swimming the beautiful crawl

—ターンする〜その1—

タッチターンでもきれいに見えるんです。

やさしいターン「タッチターン」

ここではカンタンですばやい「タッチターン」を練習しましょう。泳いできた勢いのままスーッと片腕を伸ばし、手のひらを壁につけます。つかむところがあれば、つかんでもかまいません。

壁に手をあててすぐに離してしまう人を見かけますが、手はつけたまま、カラダを壁に十分近づけるまで離さないようにしましょう。

脚をコンパクトに折り曲げ、壁に足をつけるように泳いできた勢いを利用して壁につけた手と逆側にカラダをひねっていきます。このとき、壁につけた手の側の足の裏に、もう一方の足の甲をつけておきます。

ちょうどカラダが横を向いたあた

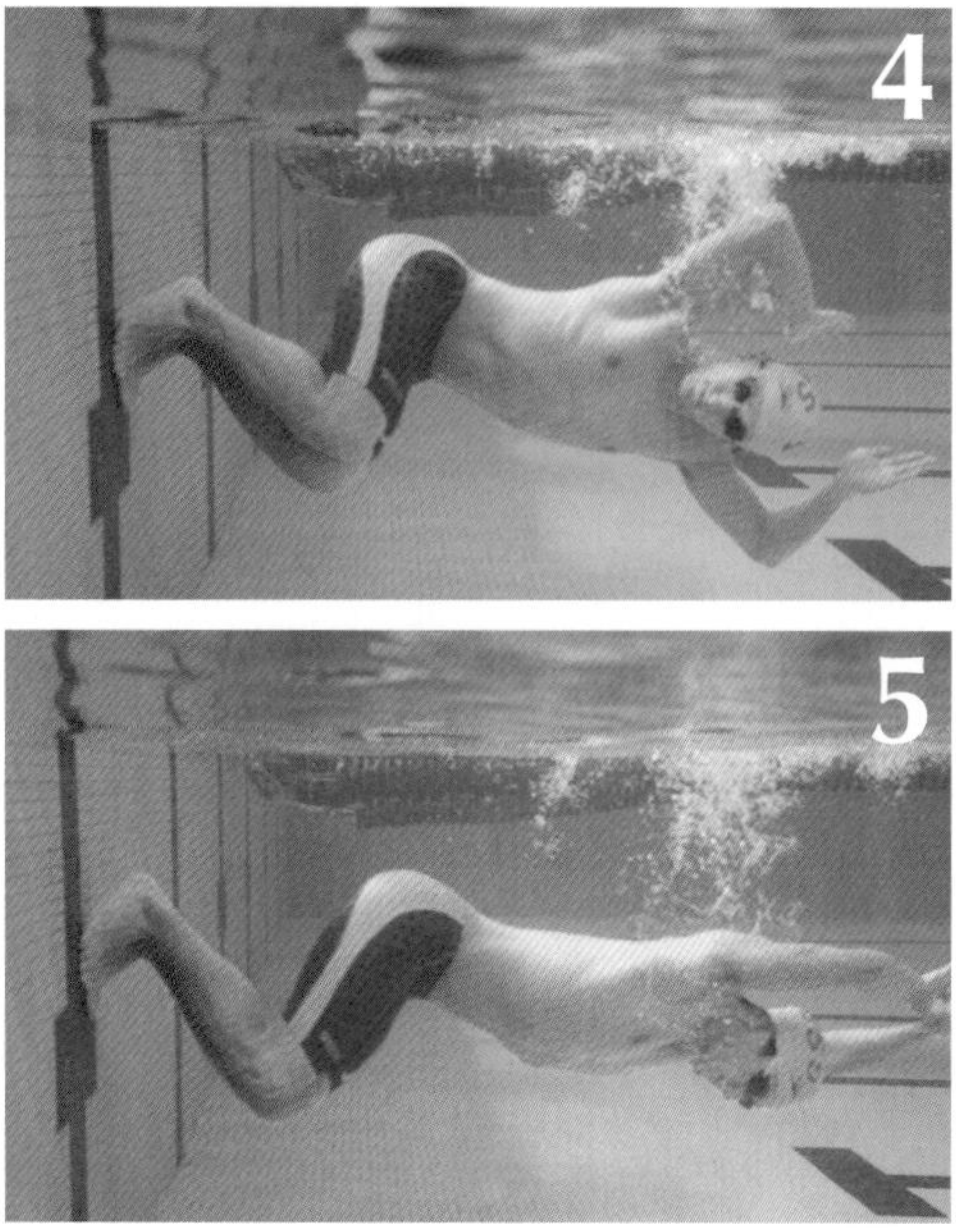

泳いできた勢いのままスーッと腕を伸ばす。右手が壁についたら、カラダを引きつけていく（写真1）。右足の裏に左足の甲をつける（写真2）。その形で壁に足をつけ、カラダをひねる（写真3）。カラダを下に向けていくと、自然に両足がそろう（写真4）。ストリームラインの姿勢をつくって蹴り出す（写真5）

りで、足が壁につきます。と同時に手のかきを利用しながら、完全に反転するようにカラダをひねります。

カラダをうまくひねるコツ

最初に壁につけるのは、片方の足だけです。もう一方の足は、壁についた足の甲に軽く重ねたままです。

この状態でカラダをひねれば、反転し終えてちょうど壁を蹴るときに両足が自然に下を向いた形でそろいます。つまり、足をそろえ直さなくていいんです。カラダが反転したら、両足で壁を蹴ります。

壁を蹴ったあとは、ストリームラインの姿勢をつくり、ゆったりと水中を進みましょう。

これらの動作をスムーズに行えば、目をみはるほど美しく見えます。

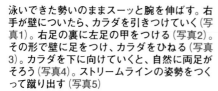

フリップターンを覚えるには、
まずはその場での前転から

Takahashi's System
of swimming the beautiful crawl

—ターンする～その2—

フリップターンを覚える①（水中で回転）

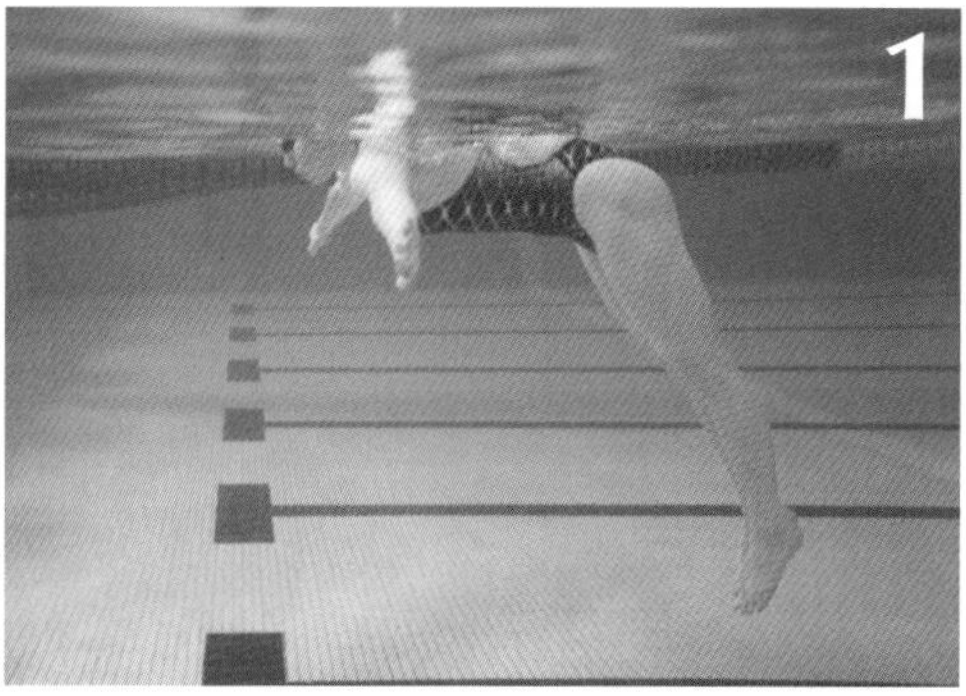

両腕を横に広げ、目安となるライン上に立つ。腕を広げたまま、水底を蹴る

手のかきで補助しながら「でんぐり返し」。カラダを丸めるように

底を足で蹴って1回転してみる

自分のイメージどおりに、すばやいターンができるようになると、格別な気分が味わえます。ここからは、上級テクニックである「フリップターン（クイックターン）」を、段階を追ってマスターしましょう。

まずは、水中での前転の練習です。水底を蹴って、いわゆる「でんぐり返し」をしてみましょう。マットの上でやるときのように、お腹へ向かってなるべくコンパクトにカラダを丸めます。

コツは2つあります。

まず、鼻から少しずつ息を吐きながら行ってください。これはそうしないと、ツーンと鼻が痛くなるからです。

そして、あわてずにゆっくりと、まっすぐ回ってください。あわてて回ると自分の位置がわからなくなってしまうこともあります。

もしわからなくなったときは、プールの底にあるラインで位置を確認しましょう。

手を使って回転してみる

回転後に同じ場所に立てるようになったら、足で底を蹴らずに手のかきだけで回転してみましょう。

このときの手は、カラダの回転方向とは逆に水をかきます。腕をひざもとから顔の横に動かして、下から上へあおるような動作です。

こうして、ゆっくり息を吐きながら、回転するときの水の感触をつかんでください。

ゆっくり、まっすぐに回ることが大事。鼻や口から水が入り込まないように注意する

手のかきで調節しながら、再びライン上に立つ。鼻から少しずつ息を吐きながら行う

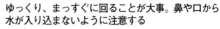

フリップターンの回転はなるべくまっすぐに。また、水しぶきを上げないよう静かに行う

Takahashi's System of swimming the beautiful crawl

—ターンする〜その3—

フリップターンを覚える②（回転して壁を蹴る）

壁に近づいて回転〜ストリームライン

水中で同じ場所にもどる前転をマスターしたら、壁から3メートルくらい離れて、けのびで壁に近づき、回転したあとで壁を蹴る練習をします。

けのびで壁から40〜50センチくらいのところまで近づいたら、両腕をかいた勢いでグッと頭を入れ込み、小さくドルフィンキック（両脚をそろえて打つキック）を打って弾みをつけ、カラダをクルッと丸めます。

このときに両脚をお腹のほうへと縮め、壁に対してなるべくまっすぐ回るようにしてください。

回りきったときの体勢は、あお向けでも横向きでもかまいません。

初めは自分の向きがわからなくなり、壁を確認せずに蹴ろうとしてし

けのびで壁に近づく（写真1）。両腕をかいて、グッと頭を入れ込んでいく（写真2）。ドルフィンキックでさらに勢いをつけ、カラダを丸め込む（写真3）

壁に対して、なるべくまっすぐに回る（写真4）。回り終えたら壁に両足をつけ、カラダをひねっていく（写真5）。カラダを下向きにひねりながらストリームラインの姿勢をつくる（写真6）。蹴り出したら、ストリームラインの姿勢で進んでいく（写真7）

まうことが多いので、壁にきちんと足がついたことを確認してから蹴り出すようにしてください。蹴り出したら、あとはストリームラインの姿勢をつくって、水中を進みます。

　すべての動作は、なるべく水しぶきを上げないように、ゆっくり行ってください。また、回転するときは鼻から少しずつ息を吐き続けることを忘れないようにしましょう。

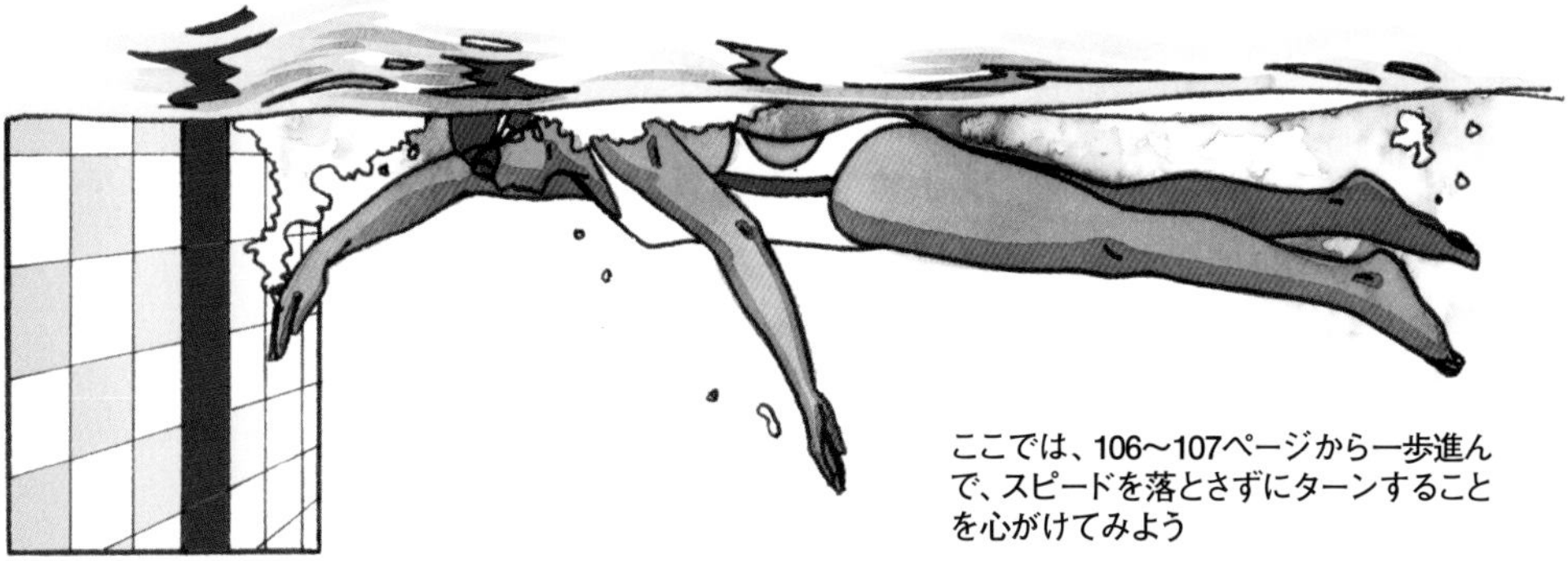

ここでは、106～107ページから一歩進んで、スピードを落とさずにターンすることを心がけてみよう

Takahashi's System
of swimming the beautiful crawl

—ターンする～その4—

フリップターンを覚える③（クロールからターン）

壁に近づいて回転～ストリームライン

けのびでうまくターンができるようになったら、いよいよクロールからターンしてみましょう。

そもそもフリップターンは、よりスピーディーにターンすることを目的としたものですから、ポイントは壁に近づいてもスピードを落とさないようにすることです。

また、ターンの要領はけのびのときと同じですが、始動は伸ばした手の先が壁に触れる直前に行います。

フリップターンができるようになったら、泳ぎ続ける喜びを十分に味わえるようになります。ゆっくり優雅に泳ぐうえで、フリップターンが組み込まれれば、もう上級者の仲間入りです。

スピードがついている場合は写真の位置から始動してよい（写真1）。腕をかき終えるタイミングで頭を入れ込んでいく（写真2）。ドルフィンキックを小さく打ち、回転の弾みをつける（写真3）。手で補助しながら回転していく（写真4）。写真のように、回転はなるべくまっすぐに（写真5）。両足が壁についたら、カラダをひねり始める（写真6）。カラダをすばやくひねりながら、ストリームラインの姿勢をつくる（写真7）。勢いよく蹴り出し、ストリームラインの姿勢で進む。推進力が落ちてきたらキックを打ち始める（写真8）

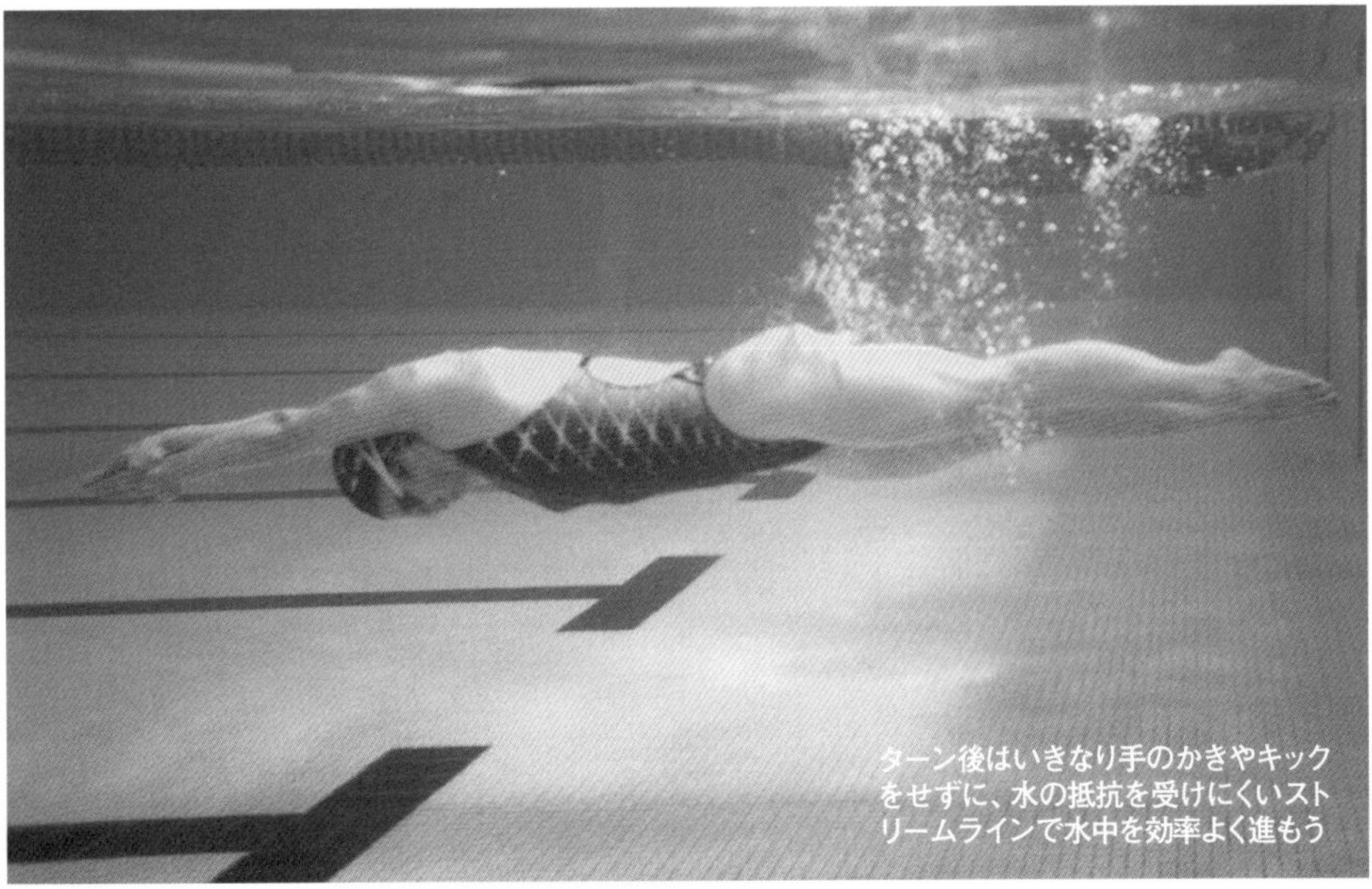

ターン後はいきなり手のかきやキックをせずに、水の抵抗を受けにくいストリームラインで水中を効率よく進もう

Takahashi's System of swimming the beautiful crawl

—ターンする～その5—

ターン後はストリームラインの姿勢で進みましょう。

ストリームラインの推進力が落ちる直前に、ドルフィンキックを打って推進力を加える

ストリームラインから再びクロールへ

タッチターンでもフリップターンでも、蹴り出したあとの進み方が大切です。

ターンしたあとは、壁を蹴ることで生まれた推進力を活かすように、水の抵抗を受けにくいストリームラインの姿勢で進んでいきます。

しばらくその姿勢を保ちながら進み、推進力が落ちる直前に両脚をそろえたドルフィンキックを1〜2回打ち、推進力を加えます。

カラダが徐々に浮かんでくるので、水面へ出てくる前にふつうのクロールのキックを打ち、1かき目のタイミングをつくります。頭が水面に出たら、再びクロールで進んでいきます。

ここまでできれば、すでに上級レベルのスイマーです。ゆったりと美しい、大きな泳ぎが続けられるようになったのではないでしょうか。

ムダな力を使うことなく、1かき1かきスーッと伸びていく「ストレッチングクロール」で、水の感触を楽しみながら泳ぎましょう。

効率のよいキックと伸ばした指先に体重を乗せてストレッチングタイムをとりながら伸びていくクロール——それがストレッチングクロールだ

水の抵抗を受けるので、背中はなるべく丸めない。キックは両脚をそろえて打つ

―ここまでのまとめ―

ソープのような最強のストレッチングクロールができます。

ソープの泳ぎを手本にして

僕がこの本で提唱している〝きれいにゆったり泳ぐクロール〟は、あのイアン・ソープの泳ぎがよいお手本になります。

彼はストロークの際に肩甲骨の回転をうまく利用して、大きな大きな泳ぎを実現させているからです。

テレビなどで見る機会があったら、〝ゆったりと優雅でムダがない〟泳ぎのエッセンスを目に焼きつけてください。

彼には、背の高さや長く大きな手足という〝天与の体格〟があるので、そのスピードはマネできないにしても、身のこなしは十分によいヒントとなるはずです。「よし、ソープになろう」――そういう気分で水に乗ってみましょう。

彼は本当にすばらしい泳ぎ方をしています。まるで、生まれ落ちた瞬間から泳ぎ出す魚やイルカのように、自然な泳ぎを見せてくれます。

その気分をマネしてください。

「あーしなきゃ、こうしなきゃ」「あれはダメ、これはダメ」ではなく、のびやかでゆったりと気持ちよさそうに泳ぐ感じ……。

ゆったりとムリなく、リキまないで大きく泳ぐ……。そんな感じを大切にしましょう。

PART3

クセや悩みを一発解消！
ケース別レッスン

Takahashi of swimming

ケース別レッスン1

水しぶきが立って困るんです

水への手の入れ方とカラダの浮かせ方に問題があります。

泳いでいて水しぶきがバシャバシャ……。「周りの人にちょっと迷惑かも」と気になってしまうこのクセは大きく分けると、手でしぶきを立てる、足でしぶきを立てる、の2つの原因が考えられます。

手でしぶきを立てるのは、入水してすぐに手をかこうとする人に多いパターンです。これでは入水のときに手についた空気の泡をつかんでしまうだけです。

ですから、いくらかいてもバシャバシャとしぶきを立てるだけで、前へは進みません。

入水したら、まず伸ばす。このようにストレッチングタイム（77ページ参照）をとり、次にかき出す直前までスーッと前に伸び続けると、しぶきも立たず、グングン進むので一石二鳥です。

一方、キックでしぶきを立てる力自慢の人は、下半身が沈みがちです。それをキックでカバーしようとして、さらに〝バシャバシャキック〟になってしまうんです。

お尻までうまく浮かせられる人は、蹴ろう蹴ろうとしないでやわらかく水を捕らえればいいのですが、そうでない人は、まず伏し浮き（18ページ参照）で浮心に重心を近づけましょう。

このバシャバシャタイプの人は、がんばり屋さんに多いのですが、プールの中くらいはできるだけゆったりとリラックスを心がけましょう。

ケース別レッスン2

水をかくと力が入らずスカスカします

ストロークを再チェックしましょう。

初級者の場合では、かき手の問題が考えられます。

かき手の指が開きすぎたり、逆に閉じすぎたりすると、水を多くかけませんし、手のひらが極端に外向きや内向きになると、水が手のひらから逃げてスカスカします。

これを防ぐには、指を自然に伸ばし、前方にあるサッカーボールを前腕で丸め込んでいくように手を動かしましょう。

そのほかの原因としては、入水した手ですぐにかこうとしている場合があります。手に空気の泡がついたままなので、水ではなく空気をかいてしまい、スカスカに感じるのです。その場合は、手を入水させてもすぐにはかかず、腕をひと伸びさせて泡を逃がす〝ストレッチングタイム〟をとり、指先に体重を乗せましょう（77ページ参照）。

力ずくで、あるいはすばやくかくイメージではなく、なるべく遠くにある水をたくさん引き寄せて、一気にひざのほうへ押し出すイメージです。この動作に慣れたら、胴体を前進させる意識を強くもちましょう。

また、かくとスカスカするポジションがじつはベスト――ということもあります。ただしこれは、上級レベルの話になるので、「かいて重く感じる＝うまく水に力が伝わっている」とはかぎらないとだけ覚えておいてください。

ケース別レッスン3

息つぎでカラダがうまくひねれません

「こわい」と思う人は、思いきって自分でひっくり返ってみましょう。

手のかきやキックに集中しすぎて、呼吸の動作がうまくいかない人や、単純にカラダをひねるのがこわいという人はわりと多くいるんです。

「まっすぐ浮いているときにカラダをひねるとどうなるんだろう?」と意識しすぎているのかもしれません。

そんな場合は、思いきって自分であお向けにひっくり返ってみてください。一度やってみると「なんだ、全然こわくない。たいしたことないぞ」ということが実感できて、意識することもなくなる人が多いようです。

ひねり自体のタイミングもむずかしくはありません。かき手の手のひらが顔の手前にきたら、カラダをひねり始めればいいんです。このタイミングなら、手のかきが水を底のほうに押し下げて、カラダを浮かす働きをします。

それでもうまくいかない人は、ひねる動作のときに、伸びているほうの腕の肩を、呼吸している側にちょっと動かすと、その反動で呼吸している側の腕が上がり、うまくひねることができます。くり返し練習してみましょう。

ケース別レッスン4

手足を動かすリズムがつかめません

キック、呼吸、手のかきと、落ち着いて1つずつプラスしていきましょう。

ゆっくりゆっくり1つずつ、この本の手順で練習をすれば、間違いなくできるようになります。

トップスイマーでも、新しいテクニックを試してリズムが狂ったりしたら、必ず基本練習を何度もくり返すものです。

とにかくカラダを十分に浮かせるようにして、足だけで進むキックをしましょう。

キックがマスターできれば、もうカラダを押し進めさせるエンジンが装着されたようなものです。これに「呼吸」「手のかき」と1つずつプラスしていきます。

ピアノの練習といっしょです。曲の全体像がわからなくても、まず右手だけレッスン、次に左手をレッスンすれば、いつのまにかその曲が弾けるようになります。

つまり、すべてを一度にマスターしようとしないことです。

手だけに気をとられる人、あるいは足ばかり気にかかる人も、そんなふうに考えればスッキリすると思います。ちなみに、カラダ全体を動かす基本のリズムは、ズン、タッタッのキック(28ページ参照)1セットにつき、片手を1かき。これを左右1回ずつ行うたびに、1回呼吸します。

カラダに少しリズムが出てくると、手と足は自然に動いて、美しいリズムで泳げるようになりますから、まずは落ちついて、1つずつクリアしていきましょう。

ケース別レッスン5

クロールなのになぜか平泳ぎより遅いんです

PART1のクロールをやってみましょう。

これは悔しいですね。ですが、このように「クロールではうまく進めない」人は、実際に少なくありません。

クロールが平泳ぎよりも遅いのは、ちょっと厳しい言い方をすれば、きちんとクロールが泳げていないからです。

クロールがきちんと泳げないということは、横呼吸がうまくできていないということです。

平泳ぎは前呼吸ですし、泳ぎの動作自体が顔を浮かせる動きになっているので、なんとなく泳げて進んでしまうんです。

これに対して、クロールの動作は呼吸時に顔が進行方向に向いていない、横呼吸の動作が加わるので、なんとなく泳いで進むというわけにはいきません。

ですから、クロールでうまく進まない人は、ＰＡＲＴ１の初めにもどって、カラダをうまく浮かせることから始めてください。

きちんとこの本で説明した手順を追って練習していけば、必ず平泳ぎよりも速く泳げるようになります。あきらめないでください。

ケース別レッスン6

コースロープにぶつかってしまいます

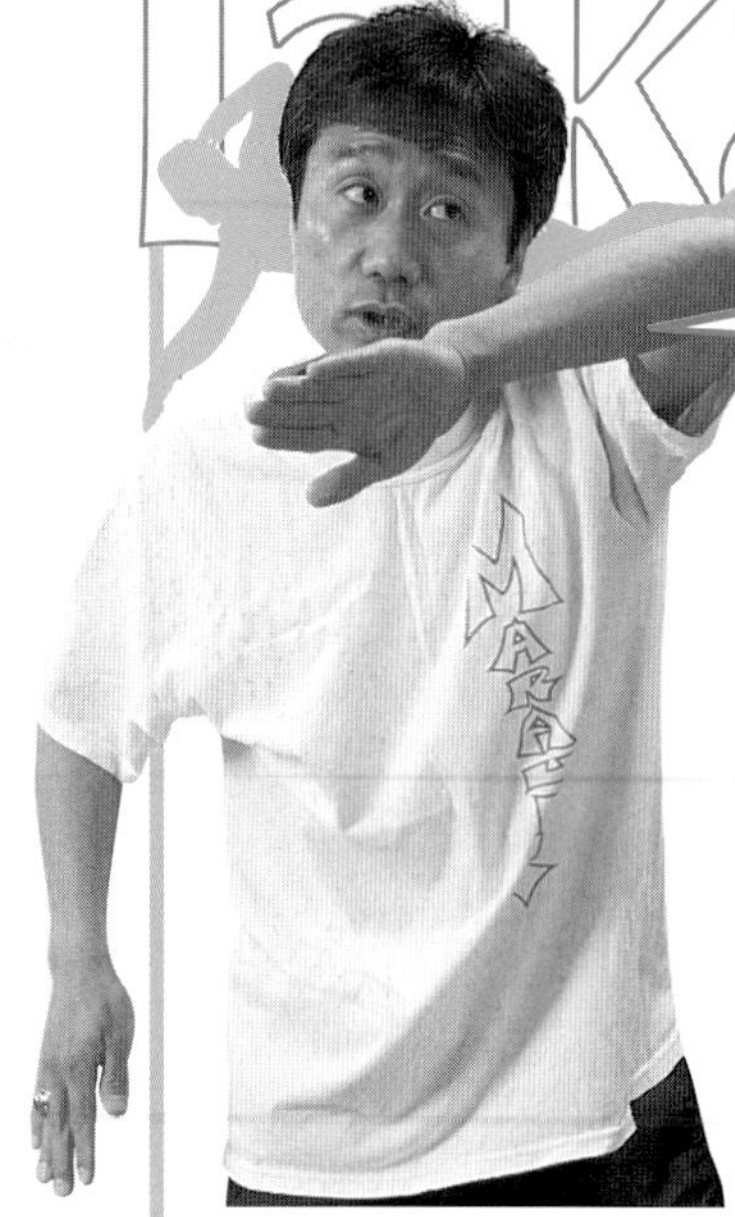

呼吸の動作をなるべく小さくして、左右対称の動きを意識しましょう。

手漕《こ》ぎボートを漕いでいるとき、左右どちらかばかりを漕いでいたら、まっすぐ進めません。泳いでいるうちに曲がってしまうということは、これと同じ状態になっているのではないでしょうか。

考えられる原因は2つあります。1つは呼吸の動作が大きすぎること。口を出して楽に呼吸しようと腕を振りかぶりすぎて、かいていないほうの手がコースロープに向かってしまうケースです。

この場合には、呼吸の練習（46ページ参照）が効果的です。

もう1つは、左右のかき手のバランスが極端に違うこと。かき手が水中で動く位置を、胴体（ボディコア）の下で左右対称にしないと、よれてゴツンとぶつかることになります。

この場合は、呼吸時の動作を小さく安定させ、そして左右のかき位置をなるべく対称にするために、かき手を前方でそろえる〝キャッチアップクロール（56ページ参照）〟を練習してみましょう。

両腕の位置や動きを目でしっかり確認することで、まっすぐに進めるようになります。まさに目からウロコが落ちると思います。

ケース別レッスン7

25m泳いだだけで、息が切れてしまいます

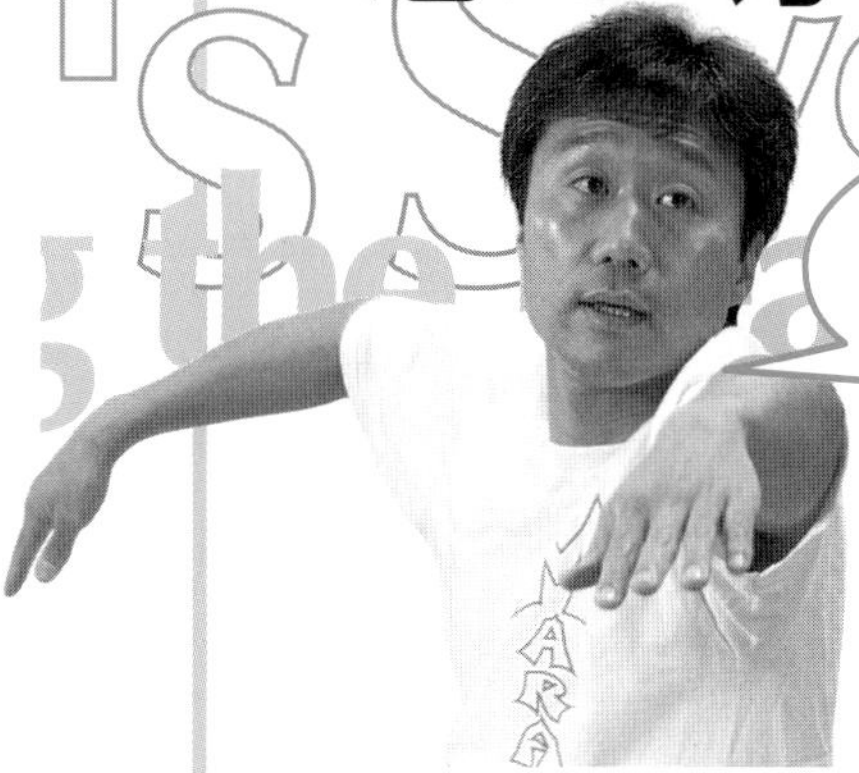

ゆっくり泳げば疲れません。

意外なことに、以前水泳部に所属したことがある人や、昔ちょっとスイミングクラブに通っていた人にこういうタイプがいます。「もう、だれがなんといっても速く泳がなくちゃ水泳じゃない」と思い込んでしまっているようです。

水泳はカラダにやさしいはずなのに、つらい思いをしていたら本当にもったいないことです。

この場合の25メートルで息が切れる人は、自分では気づかないけれども、手足を動かすスピードが速いので、ゆっくりリラックスして、それぞれの動作を優雅に行いましょう。速く泳がなくても、うまい人はカッコいいんです。

そのほかには、水がまだまだこわくて、早く対岸につくために必死で手足を動かす人。この場合は25メートルを泳ぐ力はあっても、カラダをうまく浮かせていないんです。

不安で息つぎや手足の動きが速くなってしまう人は、浮く練習(18ページ参照)にもどりましょう。これをマスターして、すべての動作をゆったり行うことができれば、まったく疲れずに25メートルを泳げるようになります。

また、ゆったり動けても呼吸がうまくできない人は、口を大きく開けて呼吸の練習(48ページ参照)をしてみましょう。

ケース別レッスン8

下半身が沈んでしまってゆっくり泳げません

プルブイで浮く姿勢を体感してください。

下半身が沈んでしまう人は、肺にある浮心とその下にある重心の位置を近づける（18ページ参照）必要があります。恥ずかしがらずに、プルブイ（小さな浮き）を太ももにはさんで、お尻やふくらはぎが水面から少し出るくらいで浮くことに慣れましょう。

自分では、ものすごく前のめりになっていると感じるでしょうが、この姿勢がベストなんです。

この浮いた感覚をカラダが覚えれば、脚の沈みは一気に解消されます。また慣れれば、ゆっくりいくらでも泳げるようになります。

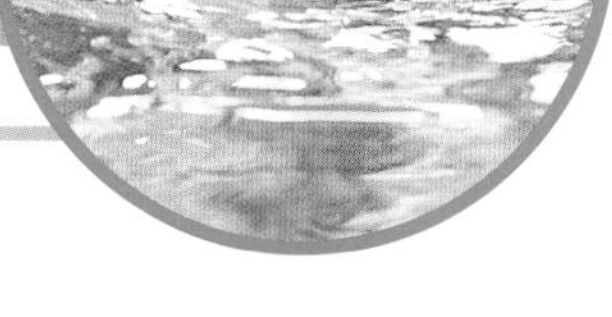

ケース別レッスン9

手をかく回数を減らしたいんですが

効率的なストロークを身につけましょう。

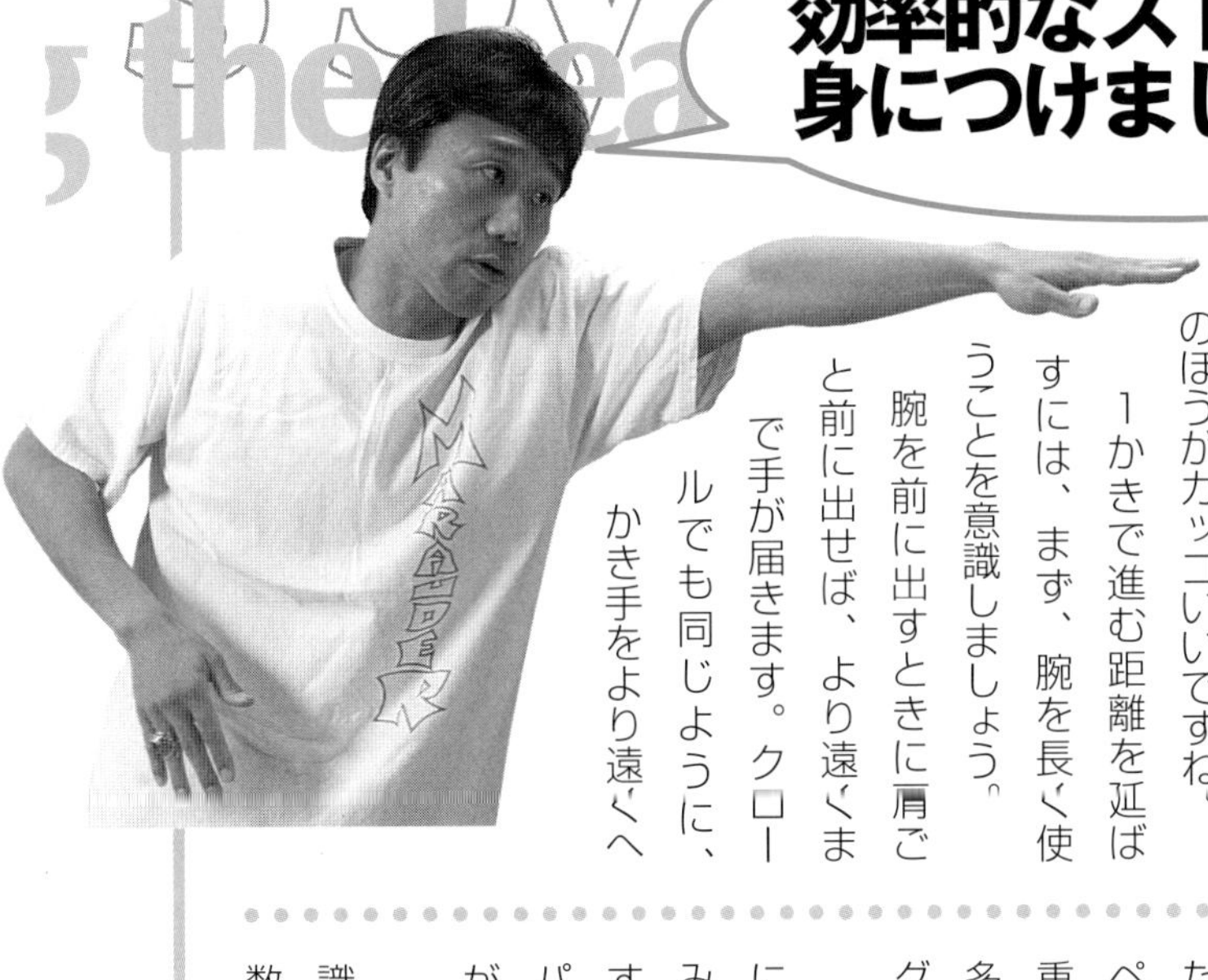

ちょっとレベルの高い悩みですが、確かに同じ距離を進むのに、手をたくさんかいて疲れてしまう人より、1かきでグングン進む人のほうがカッコいいですね。

1かきで進む距離を延ばすには、まず、腕を長く使うことを意識しましょう。

腕を前に出すときに肩ごと前に出せば、より遠くまで手が届きます。クロールでも同じように、かき手をより遠くへ出すのです。そうすれば、水をより遠くから力強くかけ、1回のかきで進む距離が大きく延びます。

それから、指先に体重を乗せるためにストレッチングタイム（77ページ参照）をとりましょう。体重が前へ前へ乗るようになると、多くの水が楽にかけて、カラダがグングン進みます。

水中では、ひじを軽く残すようにして、かき手が胴体の下からはみ出さないようにかきます。こうすると、手首とひじを支点にしてパワーショベルのように大量の水がかけます。

大切なのは、水中での手への意識です。これができると、かく回数もだいぶ減るはずです。

ケース別レッスン10

混乱していろんなことを一度にできません

「カラダをうまく浮かせなければならないし、キックも効率よく打たなければならない」「横呼吸もできるようにならなければ」「手のかきは」……と考えすぎると、だれだって混乱します。

でもクロールは、けっして不自然な動きを強いる泳ぎではありません。むずかしく考えすぎないでください。

お尻やふくらはぎまで、カラダ全体を浮かすこと（18ページ参照）を覚え、次にキックでの進み方（24ページ参照）、手のかき方（52ページ参照）、口呼吸（34ページ参照）と、1つずつ動きをマスターしてから、次の動きをプラスしていきましょう。

だいじょうぶ、クロールはカンタンです。僕には一輪車に乗るほうがむずかしく感じるくらいです。

とにかく、「手も足も呼吸も」と、いっぺんに動かそうとしないことです。

ゆっくり優雅に泳ぐにはコツが必要ですが、特殊な才能はいりません。だれでも泳げるようになるんです。

ケース別レッスン11

息つぎのタイミングがつかめません

手のかきに合わせてみてください。

息つぎのタイミングは、「かき手が顔の下を通過し、顔の横に伸びている腕の肩に乗せたとき」、意識するのはそれだけです。そのとき目線は、初めはうしろの上を見るようにして、慣れてきたら横を見てください（46ページ参照）。

呼吸しなければ……とあせってカラダのあちこちをひねる必要はありません。

また、息つぎしたあとにカラダは一度沈みますが、その沈んだ状態であせって呼吸してしまう人がいます。その場合は、キャッチアップクロール（56ページ参照）をしてみましょう。

どちらのケースも、左右1かきするたびに1回呼吸するクセをつけると、タイミングをつかみやすくなります。

ケース別レッスン12

息つぎしているのに苦しくなります

落ち着いてくり返し息つぎしましょう。

苦しくならないために息つぎをしているのに、なぜかドンドン息苦しくなってしまう……。この原因として考えられるのは、息つぎが息つぎになっていないか、単に回数が少ないかのどちらかです。

ガバッと一度に大きく吸おうとしすぎるので、そのあとのリズムが崩れてしまいます。大きすぎる呼吸は疲れますし、回を重ねるたびに吸い方が荒くなるんです。こうなると呼吸の〝形〟はしているけど、実際はうまく吸えていない、つまり息つぎが息つぎになっていないことになります。

呼吸は、「半分吐いて半分吸う」意識が大切です。

「今しか息ができない」とあわてて呼吸をしていませんか。呼吸を止めるといっても、長い間止めるわけではありません。呼吸しない側の手を1かきする時間は、長くて2秒です。そのあとは、呼吸する側の手のかきに入るわけですから、苦しくはならないんです。

また、顔がうまく上げられず、きちんと吸えない人は、46ページの呼吸の練習をしてみましょう。

ケース別レッスン13

歩くだけじゃなく本当は泳ぎたいんです

まずは浮くことから始めましょう。

「本当は泳ぎたいんだけど……」

熱心に水中ウォーキングしている人と話をすると、必ずこう打ち明けられます。「なぜ、泳がないんですか」と尋ねると、だいたい次の2つの理由があるようです。

まず、「水がこわい」という人。ウォーキングですでに、水に親しんでいるので、「泳げるのでは？」と思いがちですが、歩くと泳ぐとではかなり違うようです。

こういう人は、とりあえず浮いてみましょう。初めはビート板などを使って、浮く感覚をつかむことです。そのあとはPART1の手順どおりに練習すれば、25メートルを楽に泳げるようになります。

もう1つが「10メートルくらいなら泳げるけど、きれいに泳げないので……」という人で、こういう人はたいてい呼吸に自信がないようです。問題は呼吸だけですから、すごくもったいないと思います。

呼吸ができない場合は、まず口呼吸の練習（34ページ参照）をしましょう。呼吸さえできれば苦しくならないで、一週間で100メートルくらいは楽に泳げるようになります。

この本は、スイスイと泳ぐ人を見ながら「いいなあ……」と思っている、そんな人のために解説しています。第1の理由で泳げない人も第2の理由で泳げない人もPART1を読んで、クロールでうまく泳げるように練習を始めてください。

ケース別レッスン14

ハイエルボーがどうしてもできません

じつはトップクラスの競泳選手でもむずかしいテクニックで、これを実践していない人もいます。むしろ意識しすぎると水をかききらずにひじを抜いてしまい、進むための水中のかき手がおろそかになってしまうんです。

より高いハイエルボーで泳いだほうが、きれいに見えると思うかもしれませんが、実際にはひじが水上で顔のあたりにきたとき、ひじから先の力を抜いてあげればきれいに見えます。

ですから、空中ではひじを高く突き上げるのではなく、ひじから先の部分の力を抜くように動かしてみましょう。こうすると腕が楽に動かせますし、泳ぎ方が美しくになります。肩が上がらないためにハイエルボーがむずかしいという人は多いのですが、ハイエルボーはきれいに泳ぐためにどうしても必要というわけではないんです。

ケース別レッスン15

バタ足だけじゃ全然進みません

正しいキックを覚えましょう。

バタ足で進むには、水をうしろに送って推進力を得ることが必要です。足を棒のようにして上下に動かしているだけでは水も上下に動くだけで、前には進みません。バタ足がうまくできない人のほとんどが、そんな泳ぎ方になっているようです。

まずは、自分の足がムチのようにしなっているイメージでバタ足をしてみましょう。

足を下げるときには、太もも、ひざと順番に力を入れていき、最後に足首でピッと蹴ります。

上げるときには太ももとひざを同時に押し上げます。これを的確に行えば、水はうしろに流れていき、推進力を得られます。

最初はなかなかうまくできないかもしれませんが、そんなときはズーマー（ミニ足ひれ）をつけて泳いでみましょう。ズーマーをつけると、足首で捕らえる水の量が増えて、正しくキックできたときにものすごい勢いで進みます。うまく進めなかった人には、目からウロコかもしれません。

これでコツがつかめれば、正しいバタ足の打ち方が自然に身についてくるので、しばらくズーマーをつけて泳ぎ、前に進む感覚を足に覚えさせましょう。すると、ズーマーをはずしても正しいバタ足ができ、前に進むようになります（正しいキックについては24ページを参照）。

ケース別レッスン16

息つぎで顔が上がりすぎてしまいます

口だけ出す息つぎの練習をしましょう。

自分では顔を上げすぎているつもりはないのに、ほかの人から、そう指摘されることがあります。

息つぎは、口さえ水面から出ていればできるという理屈はわかっていても、水を飲むのがこわくて、つい頭ごと上げてしまい、顔全体が水面から出てしまう……。自分では意識していなくても、このような動作になっていることはよくあります。

顔を必要以上に水面から出さないで息つぎするには、伸ばしている腕の肩に頭を乗せて、顔を回転させるだけ（96ページ参照）でいいんです。こうすれば頭を上げずに口だけを水面から出せます。

慣れないうちは、頭全体を上げて行う息つぎと違って、水面の位置がつかめずに水を飲んでしまうかもしれません。しかし、顔を横に向けるだけでいいので、動作自体は口だけ出して行う呼吸のほうが楽なんです。練習して少しずつ慣れていきましょう。

水面から口を出して息を「パッ」と吐けば、その勢いで口の周りに空間ができます。そのときに「ハァ」と吸い込めばいいんです。

ケース別レッスン17

「水を上手につかむ」と言われてもわかりません

s System
; the beautiful crawl

水泳を長年やっていて、この感覚を実感できた人はこんな言葉を使うんですが、そうでない人は液体である水を捕らえる、つかむという言い方に違和感を覚えるかもしれません。

この「つかむ」ということは、水を効率よく押さえた瞬間を指します。手のかきの練習時にいろいろなやり方を試してみるとわかるんですが、水をすごく重く感じたり、逆に軽く感じたりすることがあります。そうではなく、それほど重く感じないのにカラダがグングン進むときもあると思います。それが水をつかんだ瞬間なんです。

これを実感しやすいのが、「スカーリングドリル」という練習です。

まず、プールの中に立ち、手を前方に伸ばしてひじを外側から上に軽くひねり、そのひじを支点にして左右に〝無限大〟の記号（∞）を描くように動かしてみましょう。手の甲はつねに少し角度をつけながら水面に向け、ひじから先を開くときは人差し指で、閉めるときは薬指の内側で水をなぞるような動作です。

この動作を覚えたら、いよいよ水をつかんでグングン進んでみましょう。まず、ももにプルブイなどをはさんで泳ぐ姿勢をとり、浮力を得て軽くキックしましょう。そして、今度はカラダの進行方向に手の甲を向け、前述の動作をやってみてください。

いろいろな角度を試しているう

ちに、必ず水をつかんだ瞬間に出合えるはずです。その感覚をクロールに活かせば、あなたの泳ぎは飛躍的に上達するでしょう。

ケース別レッスン18

どうしても鼻に水が入ってしまいます

まずは、顔を上げる位置を少し変えてみましょう。

口呼吸は、PART1で説明してきた方法で行いますが、自分ではしっかりと口で呼吸しているつもりなのに、なぜか鼻に水が入ってしまい、ツーンと痛くなるという人は少なくありません。

鼻に水が入るのは、呼吸のために顔を上げようとしたときか、上げて呼吸しようとしたときのどちらかです。

水中で息を止めている間、鼻に水が入ることはありません。

つまり、鼻での呼吸をうまく止められず、口といっしょについ、鼻からも空気と水を吸い込んでしまうんです。

息つぎのときに、口といっしょに鼻からも吸ってしまうという人は、まず呼吸のために顔を上げる位置を、横から少し頭を起こしぎみにして、やや前方向に変えてみましょう。

それでも入る人は、鼻せんをして強制的に口呼吸しかできなくなるようにしてしまいましょう。

これなら鼻に水が入らないので、気がかりが減り、泳ぎの上達もかなり早くなります。

ケース別レッスン19

教わる人によって言うことがマチマチです

コーチと相談しながら自分の泳ぎをつくっていきましょう。

現役の競泳選手の中にも、同じ悩みをもつ人は多いはずです。

コーチたちと話してみると、指導方法の研究に熱心な人も多く見受けられます。

どうすれば、よりよく選手たちの上達の手助けができるかと、コーチも試行錯誤しながら指導を行っているわけです。そのコーチなりの「研究の成果」であって、間違った指導をしようとしているわけではもちろんありません。

ですが、コーチも万能の神ではありませんし、その指導法が万人向きともかぎりません。ですから、自分が理解しやすい指導をしてくれるコーチの言うことを信じてください。また、そのアドバイスに従って練習してみてください。

1つの問に対してさまざまな答えが返ってくるということは、それだけ可能性が広がっていると考えてみてはいかがでしょうか。

コーチに何か言われたら、なぜそうなのかと、理由を尋ねてみるのもいいでしょう。そこに思いがけない解決策や上達への糸口があるかもしれません。

ケース別レッスン20

もっと疲れない泳ぎをしたいのですが

重心を前に置いて、「2ビートクロール」をマスターしましょう。

初級者はＰＡＲＴ1から、中級者以上はＰＡＲＴ2から、手順を追って練習してもらえば、ムダな力を使わずにきれいに長く泳ぐ楽しさを味わってもらえると思いますが、確かに、もっと疲れにくい泳ぎ方はあるので、紹介しておきましょう。

それは「2ビートクロール」という泳ぎ方です。

かなりむずかしいテクニックですが、6ビートのキックの打ち方である「ズン、タッタッ」の「ズン」のタイミングでキックを1回打つ。つまり、手を左右1回ずつかくときにキックも左右1回ずつ打つというものです。

姿勢は6ビートのストレッチングクロールのときとあまり変わりませんが、キックの回数が減ることで下半身が沈みやすくなるので、カラダの重心をかなり前に（その方法は18ページ参照）もっていかないと、カラダがブレやすく、泳ぎがギクシャクしてしまいます。

手のかきも、重心を前にもっていくために、前へ前へとスムーズにカラダを進めるように行ってください。

6ビートを2ビートに減らしたぶん、エネルギーが節約できるわけですが、いきなりやろうとするとせっかく身につけた泳ぎのバランスが崩れるおそれがあります。6ビートの泳ぎ方をマスターしてからチャレンジしてください。

ケース別レッスン21

疲れない泳ぎでも運動になりますか

水の中に入るだけでもエクササイズになるんです。

「ゆっくり楽に泳いでいて、本当にエクササイズになるの?」という疑問をもたれることは、よくわかります。でも、安心してください。十分な運動効果があります。

プールの中では、水圧がかかっているので、少し泳ぐだけでも陸上の1.6～1.8倍のエネルギーを消費します。それだけでなく、水中にいるときは水に逆らって動くので、ふだん使われていないカラダの奥にある筋肉も使っています。そのため、水中ウォーキングをしているだけでも、大きな運動効果が得られるんです。

さらに、体温よりも冷たい水に浸っていると、カラダは水に熱を奪われていきます。比較的温かい温水プールでも、水温は5～10度は低いですから、それを補うためにカラダの中でせっせと熱をつくり出しています。これも大きな運動効果といえるでしょう。

ですから、たとえゆっくり楽に疲れない泳ぎをしていても、あなたの知らないところでカラダは一生懸命働いて、すばらしいエクササイズを行っているんです。

ケース別レッスン22

肩こり・腰痛・ひざ痛でも泳げますか

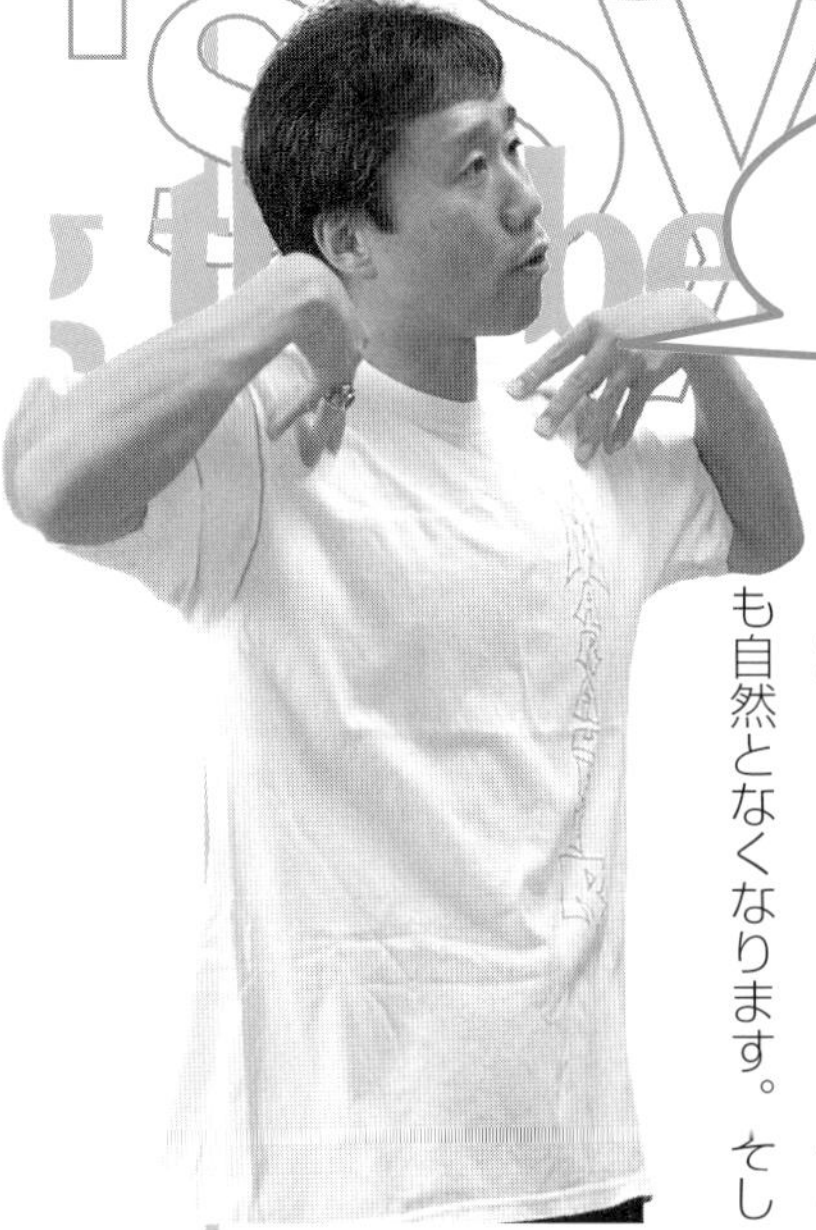

痛みを解消するためのエクササイズになります。

まず肩こりは、血液の循環が悪く筋力が低下していることなどが原因ですが、腕を大きく回して、肩周辺の筋肉を使う水泳はドンドンやったほうがいいでしょう。

まれに、水泳をして肩が痛くなったという人もいますが、この痛みは、使っていなかった筋肉を頻繁に使うようになって起こるものです。そのまま（ただし、ムリをせずに）泳ぎを続けていれば、筋肉や関節がやわらかくなり、痛みも自然となくなります。そして、上がらなかった肩や腕が、すっきり上がるようになります。

腰痛やひざに痛みのある人は、障害の程度に合わせて、水中エクササイズや水中ウォーキングから始めましょう。

水中は、重力がまともにかかる陸上よりも浮力があるぶん楽ですから、腰やひざにかかる負担も軽く、おすすめです。

水泳も、負担の少ない伏し浮きから始めて、自分の状態に合わせバタ足などをゆっくりと行いましょう。速く泳ぐのではなく、ゆっくり優雅に泳ぐクロールなら、痛む関節に負担をかけず、障害のある部分をサポートする筋肉を鍛えられます。

ケース別レッスン23

風邪ぎみでも泳いでいいですか

はっきり風邪だとわかっている場合はもちろん、なんとなく体調がすぐれない、なぜか泳ぎたくないという気分のときもやめたほうがいいでしょう。

どんなプールでも、水温は体温より低く設定されているので、体温がドンドン奪われます。それをカバーするためにカラダを動かし、体脂肪を燃やして体温を回復させるのですが、体調が悪いときはそれができず、カラダがドンドン冷えます。

ですから、お風呂に入っているときでさえゾクゾクしているような状態のときは、プールには絶対に入らないでください。

なによりも体調が第一です。体調さえよくなればまた、とても泳ぎたいという気分がわいてきますから、そのときに泳ぐようにしましょう。

ケース別レッスン24

水泳をすると、きれいになれると聞きますが

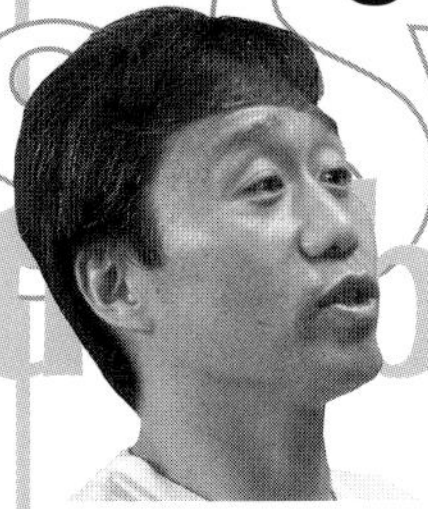

カラダのラインをシャープにします。

きれいになる、といってもいろいろありますが、たるんだ二の腕やあごなど、カラダをシャープにしたいのであれば、皮下脂肪や筋肉内の脂肪まで燃やせるうえに、むくみ解消にも効果がある水泳は最適です。

空気より大きな抵抗がかかる水の中で動くことは、ふだん使わない筋肉をたくさん使うことになり、カラダの脂肪を燃やしてくれるのです。

見た目にも気になりやすいお腹周りも、クロールのひねる動作が天然のガードルの役割をする筋肉を刺激してくれるので、引き締まってきます。

また、水中にいる間は、カラダ全体にかかる水圧が全身をマッサージし続けるので、軽く泳ぐだけでも肌の新陳代謝がよくなるうえに、むくみの原因である体内で滞っていた余分な水分がカラダの外に出やすくなります。夕方になると必ず足がむくむ人も、水泳を始めたらそれが解消された、というケースはけっこう多いようです。

そのほかにも、キレイになれるポイントはあります。泳ぐときは胸を張って肺を大きく使いますから、背骨の周りに筋肉がついて、よい姿勢を保ち続けることになるんです。

きれいな姿勢になれば、日常の中でも颯爽《さっそう》とした美しい動きが自然にできるようにもなります。

ケース別レッスン25

上達した泳ぎを試してみたいんです

まずは自分でタイムを計ってみましょう。

泳ぎが上達して、ゆったり優雅に長い距離を泳げるようになると、今度は記録に挑戦してみたくなる、という気持ちはよくわかりますし、競泳選手の気分になってみるのもステキです。

そんなときはまず、プールサイドの時計で自分のタイムを計ってみましょう。

いきなりすばらしい記録を出すのはむずかしいとは思いますが、タイムに自信が出てきたら、マスターズスイミングという水泳大会に挑戦するのもいいでしょう。

これは18～24歳のグループと、25歳から5歳ごとに分かれたグループで競い、それぞれに世界記録などもある大会です。ですからどれだけ高齢になっても、がんばれば世界記録をつくるチャンスがあります。

また、大会に出るのにためらいがある人は、日本マスターズ協会というところで6段階の泳力検定もやっているので、それを目標にするのもいいでしょう。

関心がある人は、いつどこでこの検定が受けられるのかを、下記の連絡先に問い合わせてみてください。

社団法人 日本マスターズ水泳協会　東京都文京区小石川1-16-1玉屋ビル3F　TEL03-3811-5211

どうしてもゴーグルに水が入ってしまいます

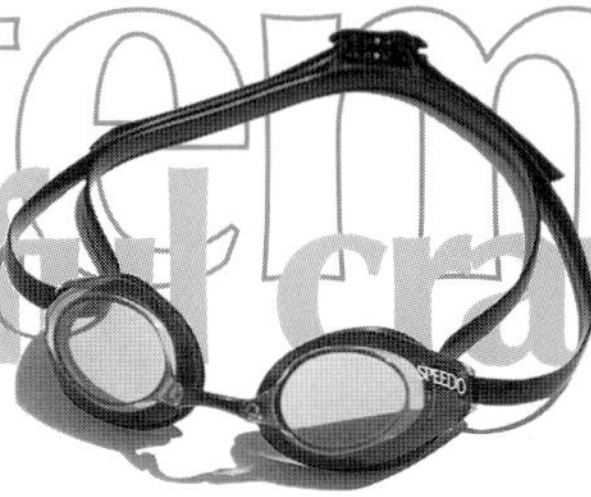

ゴーグルのサイズはピッタリのはずなのに、泳いでいるとズレて水が入ってしまう……。そんな悩みをよく耳にします。

それは、ゴーグルのせいではなく、水の抵抗が大きい位置にゴーグルをつけているからです。

ゴーグルに水が入るという人のつけ方を見ると、ゴムバンドの部分が水平よりうしろに下がっています。

その状態ではゴーグルの下部を押さえつけるようになり、下からの力には強いのですが、泳いでいる最中にゴーグルの上部へより多くの水の抵抗がかかります。その結果、ゴーグルに水が入りやすくなってしまうんです。

ゴーグルがズレないようにする

1

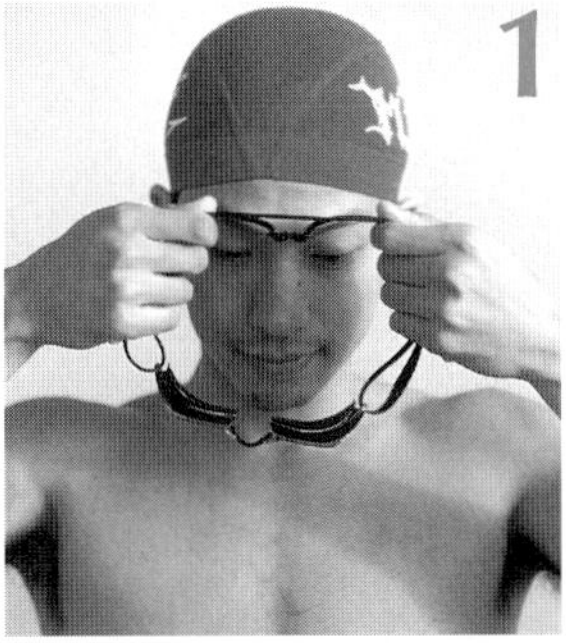

ゴムバンドのねじれを直し、両手でゴーグルをもつ

2

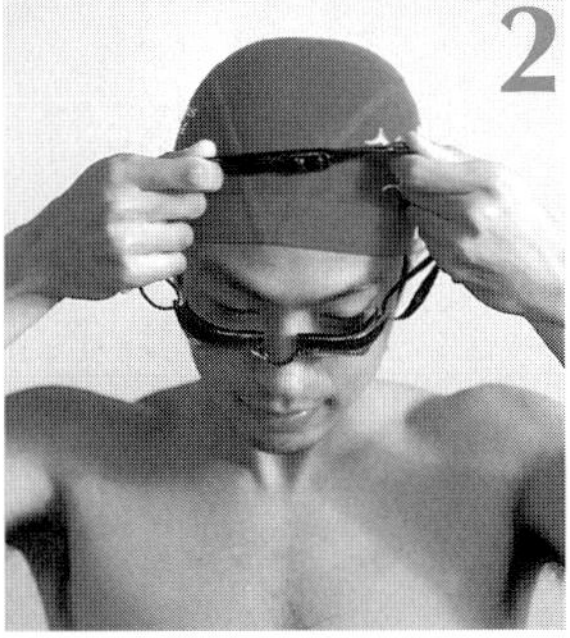

グラスの部分を目に合わせ、バンドを頭に沿わせて広げていく

3

バンドを目と水平の位置より2～3cm上につける

ゴーグルのつけ方にもコツがあるんです。

には、ゴムバンドの位置を水平より上げて、泳いでいるときの前方からの水圧に耐えられるようにしましょう。

　まずは水平より2～3チ《セン》くらい上げて、それでも水が入るようならもう少し上げて、と水が入らなくなるまでゴムバンドの位置を上げてみましょう。

　自分の顔にしっかりと合ったゴーグルをつけているなら、いずれ水が入らなくなるポイントが見つかるはずです。

　このやり方できちんとつけているのに、飛び込みや潜水のときに水が入ってしまう人は、頭が水の抵抗をモロに受ける角度になっているからです。この場合は、頭の向きを見直しましょう。

4

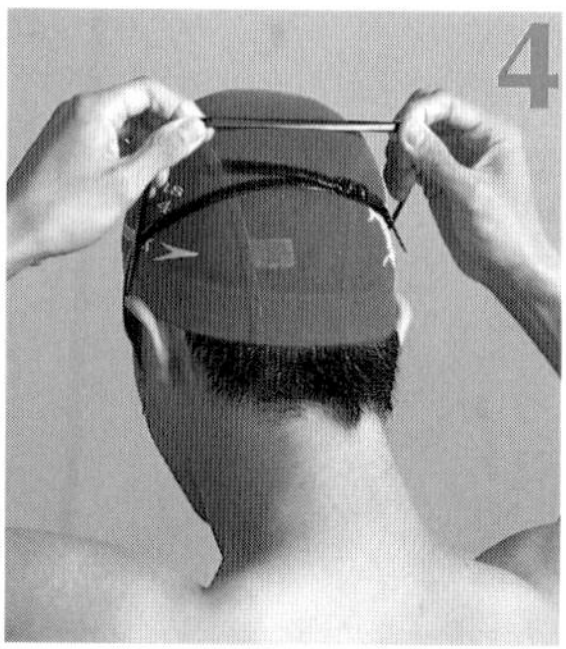

5

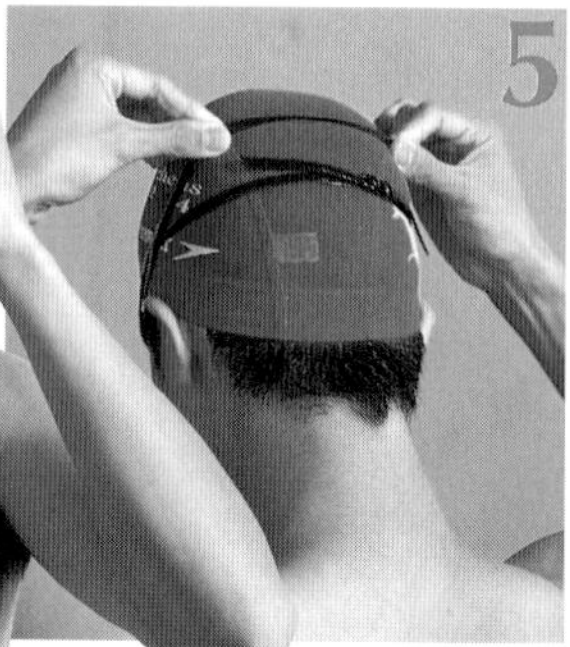

うしろから見た状態。バンドが2本に分かれている場合は、上のバンドをさらに数cm上につける

6

グラスの位置を調節して装着完了

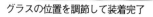

ケース別レッスン27

練習量の目安を教えてください

これは水泳にかぎらず、スポーツ全般にいえることですが、クタクタになるまでがんばって練習を続けると、逆効果になる場合も多いんです。

そんなに急いで上達しようとしなくてもだいじょうぶです。クロールの泳ぎと同じようにゆっくりと上達していきましょう。

25メートルなら、なんとか泳げるかも……という人の練習の目安としては、プールに行くたびに200メートルをできるだけゆっくりと泳いでみる、というのはいかがでしょうか。もし途中で疲れたら、立ってひと休みしても、歩いても全然かまいません。ただ、自分の泳ぎの姿勢をチェックしながら泳ぐことを心がけましょう。

この本を読んでみて、気になったポイントを少しずつ試してもらえれば、必ず「あれ？」と思うくらい泳ぎが上達する瞬間に出合えるはずです。

200メートル泳いだあと、軽い疲労感を覚えているようなら、水中ウォー

基本は疲れたらひと休み。だんだん長く楽しく泳げるようになるはずです。

キングに切り替えても、プールから上がってベンチでひと休みしてもいいでしょう。また、ストレッチ（146ページ参照）も気分転換になるうえに、筋肉をほぐす効果もあるので試してみてください。

　疲れたらひと休み。まずはこれを目安にして練習していきましょう。

　とにかく1か月に何回かでもプールに通って、少しずつコツをつかみ、まずはゆっくり泳げるようになりましょう。初めは、これでいいのかな？　と思うかもしれませんが、自分の泳ぎをチェックしながら続けていけば、いつのまにか1000メートル以上の距離でも、楽しく泳げるようになるはずです。

ケース別レッスン28

トップスイマーの練習を教えてください

まずは、陸上で行う「ドライランド」というトレーニングをいくつか紹介します。

　これは、プールでの練習の前後に行うものですが、それぞれのトレーニングにストレッチ、筋力アップ、技術力アップの効果があります。

　1つ目はメディシンボールを使ったトレーニングです。両手で持ち上げて頭のうしろで保持したり、勢いよく地面に弾ませたり、2人でキャッチボールをするなどの動きの中で、ボールの重さを利用して泳ぎに必要な肩や腕の筋肉を鍛えます。

　一般の男性は2～3キロ、女性は1～2キロのボールを使います。

　2つ目はバランスボールを使う

メディシンボールを使ってフィニッシュの動作をイメージする

メディシンボールを使って二の腕を鍛える

中央大学水泳部で
行っている練習の中から
いくつか紹介します。

トレーニングです。空気を入れたクッション性の高いゴムボールの上に、腹ばいになったり写真のように肩で乗るなどして、バランス感覚を養います。

3つ目はゴムチューブを使うトレーニングです。柱などに回して固定するか人にもってもらい、負荷をかけることで肩や腕、手などの使い方を確認できます。もちろん、筋力トレーニングにもなります。

ここで紹介したトレーニングはあくまでも一例です。この3つの用具は、さまざまな使い方で水泳のトレーニングに使用されています。興味のある方は水中トレーニング以外の練習に使ってみてください。

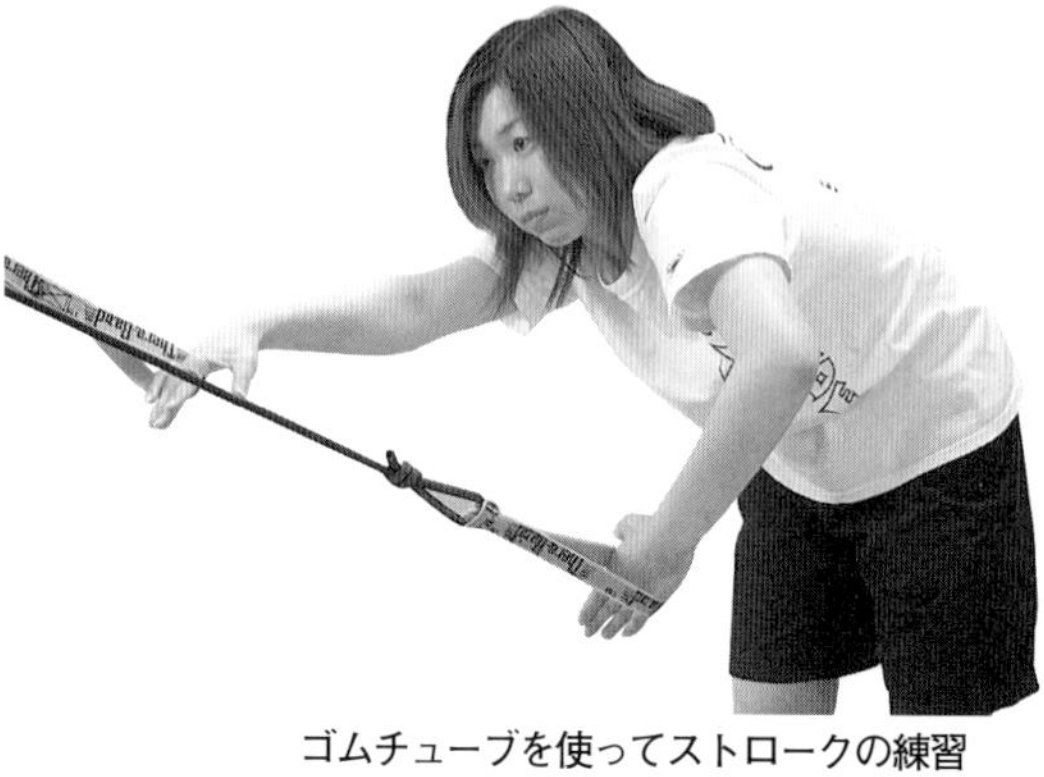
ゴムチューブを使ってストロークの練習

バランスボールを使って胴体をローリングさせるときのバランス練習

3
2
2003

プールでのトレーニングは、競泳選手が行っている練習をそのまま紹介しても、本書の内容とは離れてしまいます。

選手個々の個性、レベル、競技会までの期間、目標、体調などによって練習の内容、量が変わってくるので、彼らと同じ練習をしても、あまり意味がないでしょう。

ただ、事故がないように集中して行うこと、疲れを感じたら適度に休憩をとること、体調が悪いときはムリせずに練習を休むことは、必ず守ってください。

それと活動に必要なエネルギーは、携帯できる健康補助食品などで練習中であっても頻繁にとるようにしています。また、水中でも汗をかくので、水分補給も重要です。

プールでの練習は
選手の個性によって
変わってきます。

トレーニングは空腹ではできない。練習の合間に軽く栄養補給。特殊な栄養食品をとる必要はなく、下のようなどこのコンビニにでも置いてあるようなものでよい

ケース別レッスン29

水に入る前はどんな運動をしますか

次のストレッチをゆっくりと行います。

ストレッチなどを入念に行ってカラダに刺激を与え、筋肉を活性化させます。下になにか敷かないと痛い場合もあるので、タオルやマットなどの上で行ってください。

筋肉や関節を伸ばすストレッチには、カラダをリラックスさせ、血のめぐりをよくする効果があり、泳ぐ前後だけでなく、休憩をとっている合間にも行うようにしています。

ストレッチにはさまざまな種目がありますが、ここではだれでもカンタンにできるものを、いくつか紹介していきます。

また、僕も毎日実践しているのですが、入浴後にストレッチを行うと、カラダの疲れている部分がとてもよくわかります。

泳ぐ日にかぎらず行えば、カラダの緊張がほぐれて、ぐっすりと眠ることもできます。

各ストレッチは左右15〜20秒、1種目あたり40秒ぐらいで、自分の気になる部分を中心に、カラダ全体を伸ばすように種目を組み合わせ、全体で20分ぐらいかけるとよいでしょう。

ストレッチ1

- 座った状態で両脚を伸ばし、立てたつま先を手でつかむ。つま先をつかめない人は足首をつかむ
- 脚の裏側全体と、若干、腰の低い部分が伸ばされる

ストレッチ2

- 座って開脚し、片側のひざを折り曲げる。伸ばした側の手を内側へ入れ込むようにし、伸ばした側のつま先の方向へ反対側の手を伸ばすように、カラダを倒していく
- 伸ばした脚の裏側にも効くが、メインはひざを折り曲げたほうの側筋とそこから少し後方の腰の筋肉

ストレッチ3

- 座って開脚し、両ひざを折り曲げて足の裏どうしを合わせる。背すじを伸ばして前傾させる
- 内股（そけい部）が伸ばされる

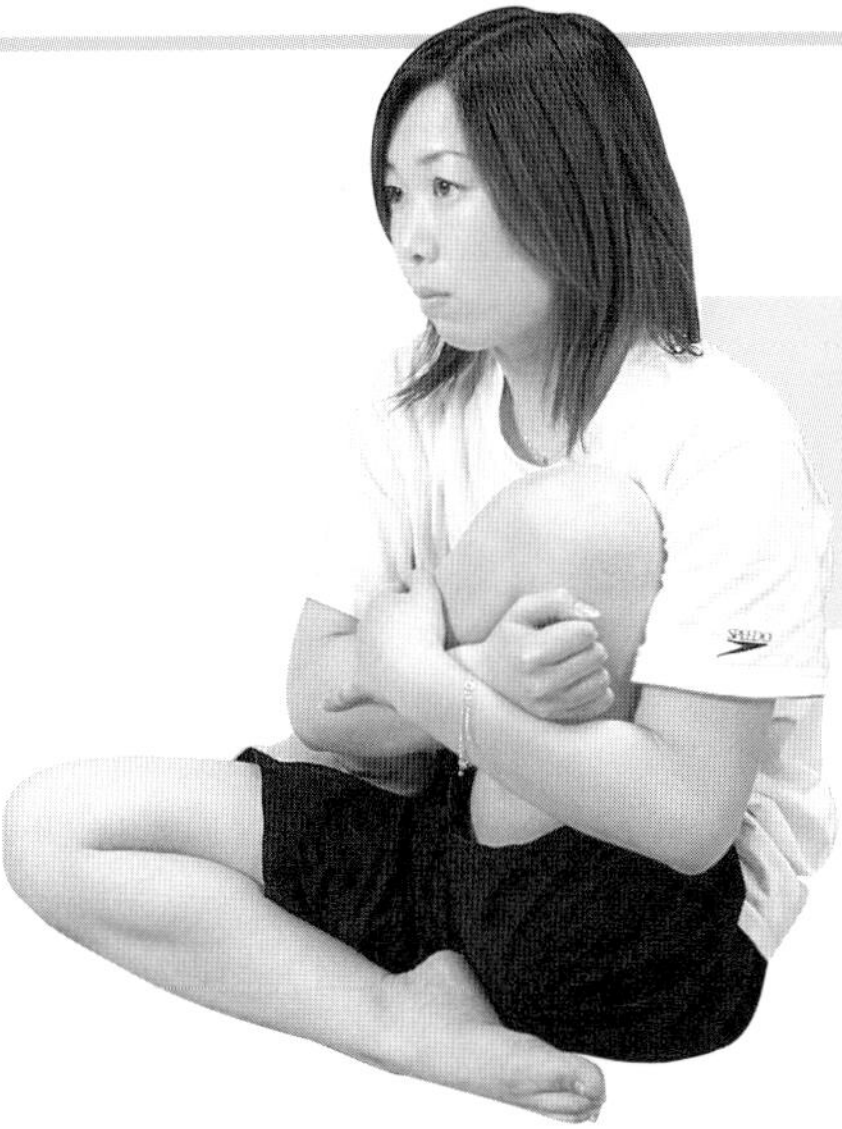

ストレッチ4

●ストレッチ3の状態から、片側のひざをカラダのほうへ両腕で抱え込む。上体は倒さない
●抱え込んでいる太ももの下側からお尻にかけての筋肉が伸ばされる

ストレッチ5

●座った状態で両脚を伸ばし、片ひざを立て、足を伸ばした脚の外側の地面につける。その状態で反対側のひじをひざにかけ、カラダを立てたひざのほうへひねっていく。その際、ひじで立てたひざを押すようにする
●カラダにひねりを加えることで、両サイドの側筋が伸ばされる

's System
; the beautiful crawl

ストレッチ6

●座った状態で両脚を伸ばし、片側のひざをうしろに折り曲げる。そこから上体を前に倒していき、伸ばした側のつま先か足首を両手でつかむ
●伸ばした脚の裏側と、折り曲げたほうの太ももの前面、腰の下のほう、折り曲げた側の足首の前面がそれぞれ伸ばされる

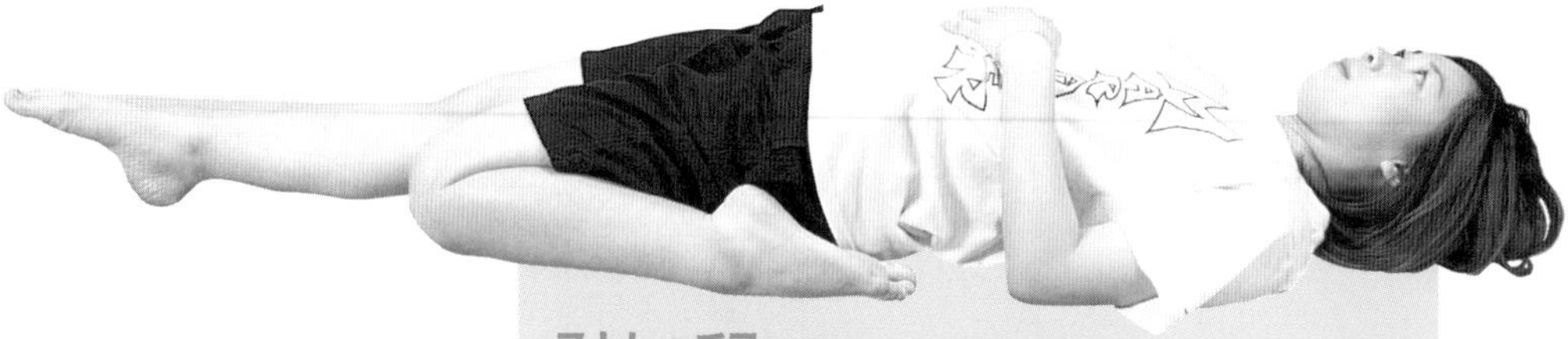

ストレッチ7

●ストレッチ6の状態から、上体を静かに後方へ倒していく
●曲げているほうの太ももの前面が伸ばされる
※下の写真のように伸ばしていた脚を折り曲げ、かかとを折り曲げているほうの太もも上に乗せると、さらに効果的

ストレッチ8

●脚を前後に開き、前は足の裏、うしろはひざから足首の前面を地面につけて、腰を沈めていく
●うしろに伸ばしているほうの股関節と腸腰筋が伸ばされる

ストレッチ9

●ストレッチ8の状態から、前の脚をひざから足首を内側にもっていき、ひざを外側に向けて倒していく
●うしろに伸ばしているほうの太ももの前面と、前に折り曲げたほうの太ももの横からお尻にかけての筋肉が伸ばされる

's System
g the beautiful crawl

ストレッチ10

●ストレッチ8の状態から、今度はカラダの外側へ、その脚のひざから足首までを地面につける
●うしろに伸ばしているほうの太ももの前面と、前の脚の太ももの内側が伸ばされる

ストレッチ11

●正座の状態で太ももを上げる
●足首の前面が伸ばされる

ストレッチ12

●片側の脚のひざから足首までを地面につけ、反対側のひざを両手で抱えて体重を前へとかけていく

●前で抱えているほうのアキレス腱に効く

ストレッチ13

●立った状態で上体を前に倒し、両腕の力を抜いて内側、続けて外側に回す（内旋と外旋）

●伸ばすというよりは、力を抜いての内旋と外旋で、肩の奥にある筋肉（インナーマッスル）の動きをよくすることを目的としている

's System
; the beautiful crawl

ストレッチ14
●立った状態で力を抜き、上体をひねりながら一方の腕は頭のうしろへ、もう一方はカラダの前面へと回す動作を左右でくり返す
●肩やわき周辺の筋肉が動的なストレッチによって、さまざまな方向に伸ばされる。あまり勢いをつけて強く行わないようにしたい

ストレッチ15
●立った状態で肩を上げ、緊張させておいてスッと力を抜く
●肩のうしろ側（僧帽筋）に効く

ストレッチ16

●両ひざ立ちの状態から、上体を前に倒して地面につけ、さらに前に伸びて背中を反らせていく
●（ストロークに必要な）胸や肩周辺、わきの下の筋肉が伸ばされる

ストレッチ17

●両手を逆ハの字について、両脚をうしろに伸ばす。両腕で支えながら、上体を反らせていく
●腹筋が伸ばされる。下腹部がピリピリと伸びるまで反らせる。ただし、腰痛もちの人は行わないほうがよい

's System
g the beautiful crawl

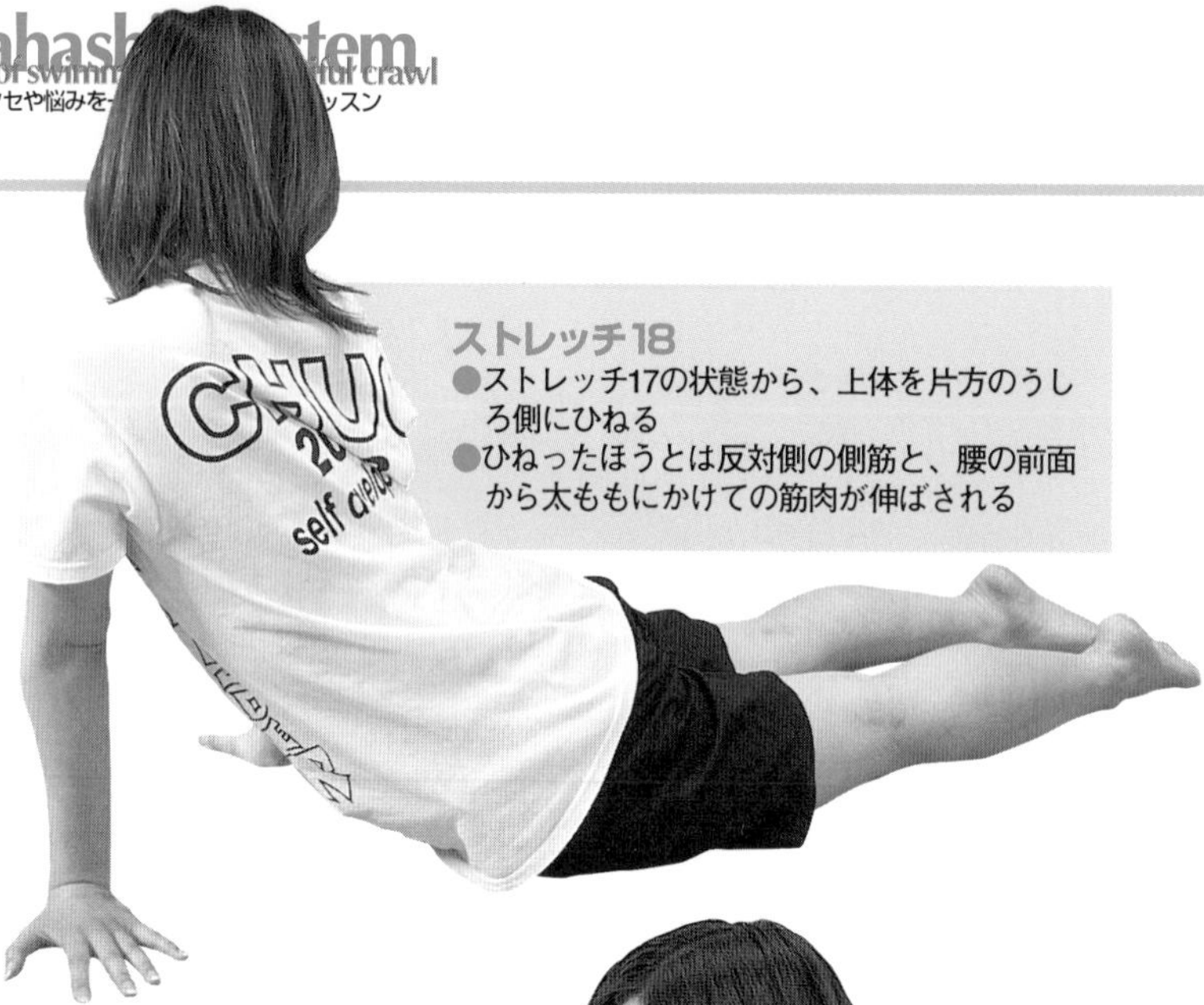

ストレッチ18

- ストレッチ17の状態から、上体を片方のうしろ側にひねる
- ひねったほうとは反対側の側筋と、腰の前面から太ももにかけての筋肉が伸ばされる

ストレッチ19

- 正座の状態で、前腕の内側を前に向けるように両手を地面につけ、前方に体重をかけていく
- 前に向けた腕の内側が伸ばされる

Takahashi
of swimming

ストレッチ20

- 両ひざ立ちの状態から、上体を倒す。片腕を前に伸ばしてひじを折り曲げ、そのひじの内側を地面につけて、体重を乗せていく
- 二の腕の内側からわきの下周辺の筋肉が伸ばされる（わきの下周辺の筋肉は泳ぎの中で前に伸ばした腕を支える役割を果たす）

ストレッチ21

- ストレッチ20の状態から、前に出した側の腕の内側を地面につけ、体重をかけていく
- 肩の前面から胸にかけての筋肉が伸ばされる

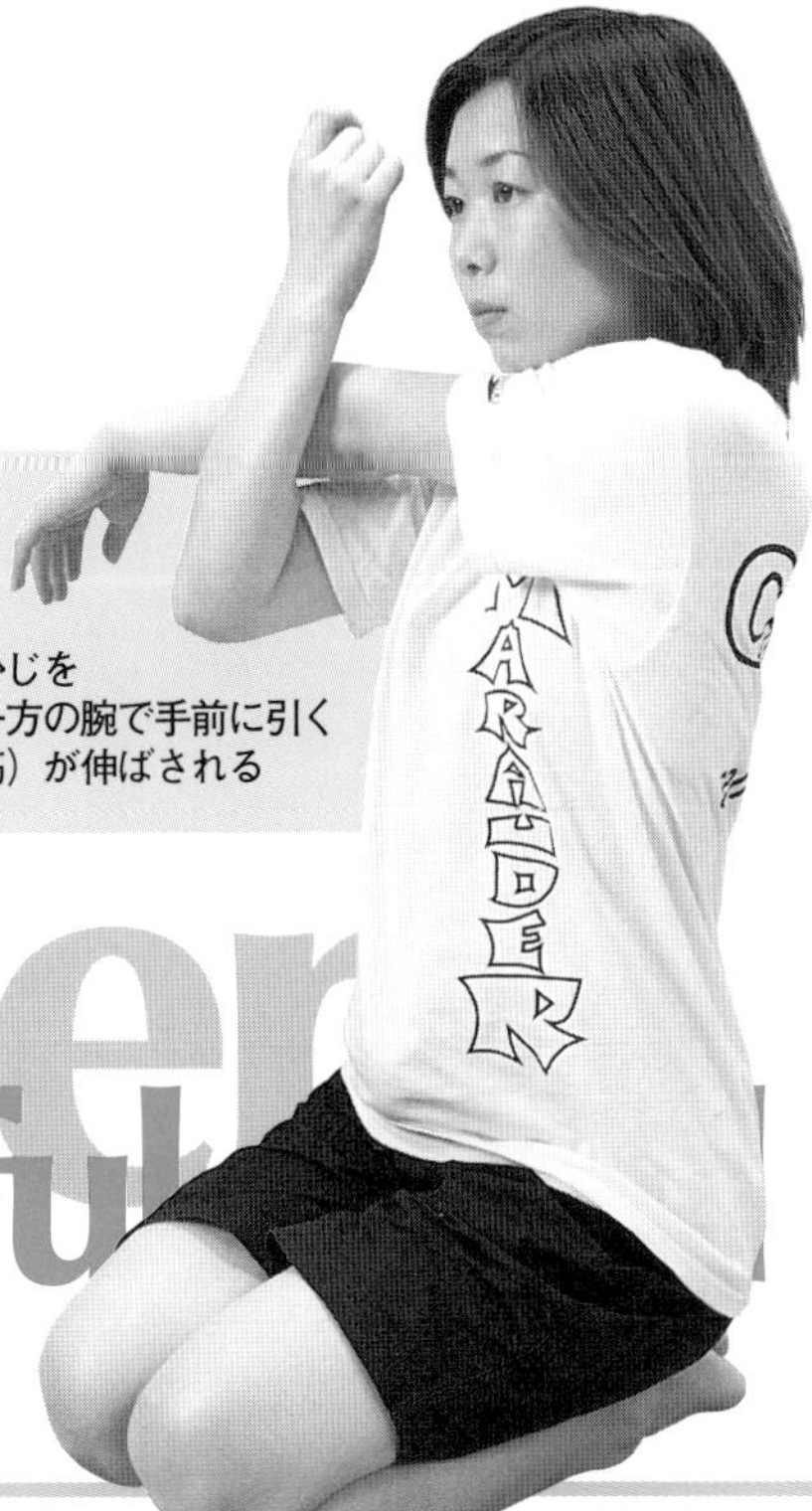

ストレッチ22

- 片方の腕をカラダの前面横方向に伸ばし、そのひじを
- 折り曲げたもう一方の腕で手前に引く肩の筋肉（三角筋）が伸ばされる

's Syster
g the beautif

写真モデル

田中雅美（SAT）
女子　50m、100m、200m
平泳ぎ日本記録保持者
2000年シドニーオリンピック銅メダリスト

河本耕平（JSS長岡）
男子　50m　バタフライ日本記録保持者
2002年釜山アジア大会銀メダリスト

南雲雄治

池田早耶香

取材・編集　長田渚左
撮　　　影　(株)スタジオ・アウパ（今井恭司・今井秀幸）
星野秀夫
イラスト　宮古哲（デザインスタジオ・アルス）
編集協力　(株)文研ユニオン（大澤雄一・和田士朗）
ワイジェイティー

Takahashi of swimming

●著者
高橋雄介（たかはし　ゆうすけ）
1962年生まれ。東京都出身。中央大学理工学部助教授。文部科学大臣公認水泳A級コーチ、JOCオリンピック強化スタッフ。高校、大学でバタフライの選手として活躍。'86年から5年間、米国アラバマ州立大学にコーチ留学。ダン・ギャンブリルヘッドコーチ、ジョンティー・スキナーヘッドコーチに師事し、世界最新の科学的トレーニングを学ぶかたわら、延べ5000人を超える老若男女の一般スイマーを指導。泳げない人を「泳げるようにする」第一人者となる。'91年から母校中央大学水泳部のコーチに就任。2002年から同部監督。1994年から、前人未到のインカレ10連覇を成し遂げる。現在、日本の競泳を世界のトップレベルに導きつつ、より多くの人に水泳の楽しさを知ってもらうため、一般スイマーのためのスイムクリニックを開催するなど日夜奮闘中。共著に『ステップアップスポーツ　スイミング』（池田書店）などがある。

クロールがきれいに泳げるようになる！

著　者　高橋雄介
発行者　高橋秀雄
編集者　小元慎吾
印刷所　宏進社
発行所　**高橋書店**
〒112-0013
東京都文京区音羽1-26-1
電話 03-3943-4525（販売）／03-3943-4529（編集）
FAX 03-3943-6591（販売）／03-3943-5790（編集）
振替 00110-0-350650

ISBN4-471-14080-9